ROGER SCRU

27 Şubat 1944'te doğan İngiliz ... lozof Roger Scruton özellikle estetik alanında yaptığı çalışmalarla tanınır. Yaklaşık kırkın üzerinde eseri bulunmaktadır, bunlardan bazıları: *Art and Imagination* (Sanat ve İmgelem, 1974), *The Meaning of Conservatism* (Muhafazakârlığın Anlamı, 1980), *Sexual Desire* (Cinsel Arzu, 1986), *The Aesthetics of Music* (Müzik Estetiği, 1997), *Beauty* (Güzellik, 2009), *How to be a Conservative?* (Nasıl Muhafazakâr Olunur?, 2014). Bir roman yazarı da olan Scruton, bu çalışmalarının yanı sıra, felsefe ve kültür üzerine pek çok ders kitabı da kaleme aldı. Scruton, 1971'den 1992'ye kadar Londra'daki Birkbeck Kolej'de estetik üzerine dersler verdi. 1992'den beri de Amerika'daki Boston Üniversitesi'nde yarı zamanlı olarak dersler vermektedir.

Ayrıntı: *1035*
Felsefe Dizisi: 9

Akıllı Kişiler İçin Felsefe Rehberi
Roger Scruton

İngilizceden Çeviren
Eşref Armağan Eşkinat

Kitabın Özgün Adı
An Intelligent Person's Guide to Philosophy

Felsefe Dizisi Editörü
Güçlü Ateşoğlu

Yayıma Hazırlayan
Deniz Aytekin

Son Okuma
Suat Hayri Küçük

Kapak Fotoğrafı
Michael Duva / Stone / Getty Images Turkey

Kapak Tasarımı
Gökçe Alper

Dizgi
Esin Tapan Yetiş

Baskı ve Cilt
Ali Laçin - Barış Matbaa-Mücellit
Davutpaşa Cad. Güven San. Sit. C Blok No. 286
Topkapı/Zeytinburnu - İstanbul - Tel. 0212 567 11 00
Sertifika No: 33160

Birinci Basım: *İstanbul, Kasım 2016*
Baskı Adedi *2000*

ISBN 978-605-314-139-6
Sertifika No.: 10704

AYRINTI YAYINLARI
Basım Dağıtım San. ve Tic. A.Ş.
Hobyar Mah. Cemal Nadir Sok. No.: 3 Cağaloğlu – İstanbul
Tel.: (0212) 512 15 00 Faks: (0212) 512 15 11
www.ayrintiyayinlari.com.tr & info@ayrintiyayinlari.com.tr

Akıllı Kişiler İçin Felsefe Rehberi

Roger Scruton

Felsefe Dizisi

Felsefe Işığıyla Arayışlar
Prof. Dr. Nejat Bozkurt

Özgürlük Üzerine Bir Deneme
Herbert Marcuse

Felsefeye Davet 1
Veysel Atayman

Kaygı Kavramı
Yasemin Akış

Mitostan Felsefeye
H. Attilla Erdemli

Frankfurt Okulu
Eleştiri, Toplum ve Bilim
Kurtul Gülenç

Spinoza ile Karşılaşmalar
Der.: Güçlü Ateşoğlu & Eylem Canaslan

Hâlâ Hayalleri Olanlar İçin Felsefe
Wolfram Eilenberger

İçindekiler

Çevirmenin Önsözü

İngiliz felsefeci Roger Scruton, günümüzde analitik eğilimli Anglo-Amerikan felsefecilerden birkaç bakımdan farklı biridir. Birincisi, çoğunluğun tersine, felsefeyi dar bir alanda derin bilgiye sahip teknisyenlerin küçük problemleri çözeceği bir disiplin değil; insan yaşamıyla derinden ilgili, felsefenin antik çağlardan beri sahip olduğu büyük sorular geleneğine bağlı bir alan olarak görmektedir. Yani bilgiden çok bilgeliğe önem vermektedir. İkincisi, çoğu felsefecinin aksine iyi bir yazardır, yazdıklarını etkileyici biçimde ortaya koyabilmektedir. Üçüncüsü, felsefenin yanı sıra, sanat, mimarlık, şarap, hayvanlar, siyaset, müzik, cinsellik, çevre, eğitim, din alanlarında felsefi kitaplar yazacak, yanısıra roman yazıp opera besteleyecek kadar geniş bir ilgi alanına sahiptir. Son olarak da, çoğu felsefecinin aksine muhafazakâr görüşlere sahiptir ve kariyeri boyunca sol ve eleştirel düşüncelerle gayet sert polemiklere girmiştir. Bu özelliklerin hepsi elinizde bulunan kitapta kendini göstermektedir.

Bu kitapta Scruton bilim, ahlak, özne, özgürlük, cinsellik, müzik, zaman, tarih, Tanrı gibi konularda birbiriyle ilişkili denemeler yazarak felsefi yaklaşımını ortaya koyuyor. Bütün denemelerin ortak noktası, felsefenin "insan dünyası" ile alâkalı olması gerektiği fikridir. İnsan dünyasında yaşayan kişiler birer nesne değil özne'dirler. Birbirleriyle diyaloga, ilişkiye girerler, eylemlerde bulunurlar, dünyalarında kişi, özne, sorumluluk, özgürlük, ahlak gibi kavramlar vardır. Scruton, bu dünyanın ve kavramlarının bilimin neden ve sonuç arayan dünyası tarafından tam olarak anlaşılamayacağı, insan dünyasını bilimsel çerçeveye sokma çabasının da bu dünyayı zedelediği, değerini ve etkinliğini düşürdüğü fikrindedir.

Fazlaca iddialı (ki bu başlıklı bir kitap serisinin bir parçasıdır) bir isme sahip olan bu kitapta 'akıllı bir kişinin zaten sahip olması gerekenlerin ötesinde bir ön bilgi varsaymamaktadır' denilse de, kitap felsefeye başlangıç için iyi bir ilk kitap değildir. Teknik jargondan bir ölçüde kaçınılmış olsa bile, yazarın düşüncelerinin arka planını bilmeyen ve felsefeye yeni giren bir okuyucu (ne kadar akıllı olursa olsun) bu kitabı okurken yazarın derdinin ne olduğunu anlamakta zorlanacaktır. Bu önsözde kitabın varsaydığı arka planı anlatarak kitabı bir derece daha anlaşılabilir kılmayı umuyorum.

Şu noktadan başlayabiliriz: Bilgi ile bilgelik arasında ne tür bir fark vardır? Bilgelikle çok bilgi sahibi olmayı değil, bir tür yaşam anlayışı sahibi olmayı kasdederiz. Felsefe de kelime anlamı olarak 'bilgelik sevgisi' demek. Felsefe ile bilgelik, yani bize hayatımızda yol gösterecek anlayış ve meziyetler kazanmayı amaçlarız. En azından felsefeye ilgi duyanların büyük bölümü bu tür bir heves ile bu işe girişirler. Felsefe yolunda yeterince sabırlı olanlar bir süre sonra felsefenin bilgelikle, 'hayatın anlamı' sorusuyla ile doğrudan ilgili olmadığını görmeye başlarlar. Hayatın anlamı türünden sorulara kısa yoldan din ya da ruhsallıkla ilgili kitaplardan ulaşmak daha kolaydır. Yine de eğer felsefenin herhangi bir değeri olacaksa, bilgelik, hayatın anlamı meselesi en azından felsefenin ufkunda olmalıdır, ulaşılacak bir yer değilse de hedeflenen yön olmalıdır diyebiliriz. Felsefenin bilgelikten tamamen vazgeçmemesi gerekir.

Öte yandan günümüz dünyasında bilim yüksek bir prestije sahip. Bir çalışmanın başına konan "bilimsel" sıfatı onun güvenilirliğini artırıyor. Bilimsel dünya görüşü 17. yüzyıldan beri gitgide daha yaygınlık kazandı, dünyaya daha bilimsel gözle bakar olduk. Bilgi edinmenin en güvenilir yolunun, en hakiki mürşitin, bilim olduğunu söylüyoruz. Bilimselliğin ölçütü de öne sürdüğümüz görüşlerin, hipotezlerin, deney ve gözlemle doğrulanabilir olması. Yani, görüşlerimizin dünyadaki olgulara denk düşmesi. Bilimsel olarak yani gözlem ve deneyle doğrulanabilen görüşlere bilgi diyoruz. Bilgilerimizin güvenilir olmasının yolu onların bilimsel olmasından geçiyor.

Peki, bilgi edinmek için bilimin en doğru yolu bize gösterdiği bu çağda felsefeye düşen rol ne oluyor? Felsefenin bilimle derin bağları olmasına rağmen, hatta bilim felsefenin içinden çıkmış olsa da, felsefe geleneksel olarak insani bir disiplin olarak sayılır. Geleneksel anlayışımıza göre, felsefenin uğraştığı konular olan bilginin ve dünyanın yapısı, ahlak, estetik, mutluluk hakkında bilimin söyleyeceği fazla bir şey yoktur; bunlar felsefenin alanına giren konulardır. Bu sorulara empirik, bilimsel yöntemlerle değil akılyürütmeyle yaklaşırız.

Burada ayrıntılarına girmek istemediğim bir süreç sonunda* felsefecilerin bir bölümü bilimin (felsefenin yukarıda bahsettiğim geleneksel alanları da dahil) her alanda tek geçerli yol olduğunu savunur hale geldiler. Bu felsefeciler bilim yoluyla cevaplanamayan soruların gerçek sorular değil, uyduruk sorular olduğunu iddia ediyorlar. Bu kişilere göre bağımsız bir felsefi bilgi yok, elde ettiğimiz bütün bilgi bilimsel bilgi olmak zorunda. Metafizik, ahlak, estetik gibi konularda söyleyeceklerimiz düşüncelerden çok duygularımızı ifade ediyorlar, bunların alanı da felsefe değil sanat, edebiyat, müzik olabilir. Felsefenin yapabileceği tek şey bilimin kullandığı kavramları açıklığa kavuşturmak, temizlemek, bilimcilerin işini kolaylaştırmak. 20. yüzyıl başlarında Viyana okulu ile başlayan bu anlayışın İngilizce konuşulan felsefe dünyasında hâlâ belli bir etkisi var.

Bir de felsefenin geleneksel alanlarını bilimsel yöntemlerle incelediğini iddia eden yeni çalışma alanları var. Bu alanlarda, incelenen konuların başına genellikle "evrimci" ya da "nöro" önekleri konuluyor: evrimci epistemoloji ya da nöro ahlak gibi. Bu tür çalışmalar sonucunda felsefenin alanı daha da daralıyor gibi gözüküyor. Öyle gözüküyor ki henüz cevap bulamadığımız bazı sorular (bilinç nedir, evrenin sonu var mıdır gibi) halâ felsefenin alanı içinde, ama gelecekte bilim daha geliştikçe, bu sorular da bilim tarafından cevaplanacak, yani felsefe zaman içinde yok olacak. Ünlü fizikçi Stephen Hawking *Büyük Tasarım* (2011)

* Bu süreci Simon Critchley'in Kıta felsefesi adlı kısa ama özlü kitabı ayrıntılı olarak anlatmaktadır. (Dost Kitabevi, 2007)

kitabının başında felsefenin ölmekte olduğunu öne sürüyor. Bu anlayışa göre, bilim her konuda empirik kanıtlar sunabilirken karşısında sadece akıl yürütmeye dayanan felsefenin fazla bir şansı yok gibi gözüküyor.

Scruton'un bu kitapta yapmaya çalıştığı şey, her şeyin bilimsel açıklamasının bulunabileceğini savunan ve adına 'bilimselcilik' diyebileceğimiz felsefi görüşün karşısında, insan hayatını merkeze alan geleneksel felsefi yaklaşımı savunmak olarak görülebilir. İnsan dünyasının özne, özgürlük, sevgi, sorumluluk gibi kavramlarının bilimsel nedensellikle açıklanamayacağını, bu şekilde açıklamaya çalışmanın insanları nesneleştirmek olduğunu söyler. Bilimi mutlaklaştırmak insan dünyasının anlamlarını silmek demektir. Kendi sözleriyle: "felsefe yaparak insan eylemini bilimin içine sıkıştırdığı nedensellik ilişkileri ağı dışına çıkararıp kurtarabiliriz" der. Kitabın ana fikri başında verilmiştir zaten: "Bilimsel doğruluk arayışının yaygın bir yan ürünü insani alanda yanılsamadır ve felsefe, doğruluğu bu beladan kurtarmak için elimizde olan en sağlam silahtır." Bilimsel bilgi bizi bilgeliğe ulaştırmak için yeterli değildir.

Kitaptaki denemeler farklı konularda da olsa hepsini birbirine bağlayan bağ, yukarıdaki ana fikirdir. Bundan kitabın ve yazarın bilim karşıtı olduğu sonucunu çıkarmak haksızlık olur. Söylediği, insan dünyasının kavramlarını açıklamak için bilimin meşru alanının dışında kullanımının, hatalı ve tehlikeli olduğudur. Bu hataya günümüzde sık olarak düşülmektedir ve felsefe bu hatayı düzeltmek için uygulanabilecek bir tür terapi olarak görülebilir.

Scruton'un muhafazakârlığından bahsetmiştim. Görüşleri bir yandan kıta Avrupa felsefesinin fenomenolojik geleneğine yakınken, öte yandan bu geleneğin içinde var olan toplumsal muhalefet ve özgürleşme fikirlerine çok mesafelidir. Toplumların organik bir bütün oluşturduğu ve en uygun değişimlerin toplumun kendi yapısı içinde kalarak yavaşça yapılabileceği yönündeki muhafazakâr düşünceye bağlı olan Scruton, iktidarı ve güç ilişkilerini sorgulayan, itaat mekanizmalarını araştıran Foucault'a derin bir antipati duymaktadır. Genel olarak sol ve post-modern düşünürlere yayılan bu antipati, kitapta da ikincil bir tema olarak kendini hissetirmektedir. Polemikçi bir üslupla yapılmış olan bu tartışma kanımca kitabın felsefeyi ve insan dünyasını savunmak olan ana amacından bağımsızdır ve yeterince ayrıntılı değildir. Scruton'un sol ve post-modern düşünürler hakkında ayrıntılı görüşleri için *An Intelligent Person's Guide to Modern Culture* (St. Augustines Press, 2000) ve otobiyografisi olan *Gentle Regrets* (Bloomsbury, 2006) kitaplarına bakılabilir.

Giriş

Bu kitap felsefeyi ilginç kılmayı amaçlamaktadır, bu yüzden felsefeyi *benim* için ilginç kılan fikirler üzerinde duracağım. Ortaya çıkan sonuç akademik olarak alışıldık olmasa da; bu kitabı bitiren okurun, felsefenin sadece entelektüel meselelerle değil, aynı zamanda modern hayatla da ilgili olduğu düşüncesine sahip olacağını umuyorum.

Kitabın çeşitli bölümlerinde büyük filozoflara, özellikle de üzerimde en büyük etkiyi bırakmış olan Kant ve Wittgenstein'a referanslar vermiş olsam da amacım felsefenin tarihini ya da durumunu anlatmak değil. Bu kitap, felsefe macerasına dalmaya hazır okura bir tür rehber olmayı amaçlamakta, öte yandan okurun, akıllı bir kişinin zaten sahip olması gereken niteliklerin ötesinde bir önbilgiye sahip olduğunu varsaymamaktadır.

Akıllı kişiler yine de bu kitabın diğer felsefe yayınları ile olan alakasını merak edecekler ve daha geniş çaplı bir düşünce okuluna (yani bir -oloji veya -izm'e) ait olup olmadığını bilmek isteyeceklerdir. Bu da okurda bu kitabı gitgide büyümekte olan okunmayan önemli kitaplar arasında kendine ait bir yere yerleştirip unutma isteği yaratacaktır. Bu konuda sadece şu kadarını söyleyeyim: Ben, bilimsel eğitimden tatmin olmamış bir üniversite öğrencisi olarak felsefeye yönelmiştim ve o sırada bilimin cevap veremeyeceği derin ve ciddi sorular olabileceğini tahmin ediyordum. Ancak akademik felsefe eğitimim sırasında, vicdanımı isyan ettiren, uydurma bir bilimsel eğilim ile karşılaştım. Sonuçta, *hakiki* felsefenin ne olduğu konusunu aramaya başladım ki bu arayış beni bir -izm'e değil sonunda aklın ışığının pek çok renkte parladığı bir prizmaya ulaştırdı.

Felsefe, üniversitelerin bilimselleştirdiği tek alan değil. Modern üniversitelerde edebiyat, edebiyat eleştirisine indirgendi; müzik, set teorisi ve Schenker analizi tarafından ele geçirildi; üretken dilbilim ve mimari gibi konular mühendislik tarafından dışlandı. Nasıl kötü para iyi parayı kovarsa, bilim kılığında taslanan bilgiçlik de entelektüel ekonomiden dürüst akıl yürütmeyi kovdu. Greasham yasasının bu entelektüel versiyonu; beşeri bilimlerdeki üniversite hocalarının bilgi ve hayal gücünü, çeşit çeşit bilimsel "araştırma" ile değiş tokuş ettikleri her yerde geçerli hale geldi. Bir felsefecinin mutlaka derin düşünce sahibi olması gerekir ama derin düşünceden sonuçlar, açıklayıcı teoriler, deneysel yöntemler çıkmaz. Derin düşünce, olsa olsa ruhsal disiplindir; ondan çıkacak sonuçlar da kişinin ruhu ile yakından ilgilidir. Akademik felsefeciler yazdıkları makaleleri bilimsel rapor kılığında sunduklarında ve bir teoriye adım adım yaklaşmakta oldukları uydurmacasını beslemeye çalıştıklarında, onların felsefe ile yanlış bir ilişkileri olduğuna emin olabilirsiniz. Bu tür felsefenin sonuçları -dünyamız tamamen bilime teslim edildiği zaman ortaya çıkacak olan sıkıcılıktan doğduğundan olsa gerek- öğrenciler için sıkıcı ve usandırıcı olur. Bu kitabın eğer bir mesajı olacaksa, o mesaj şudur: Bilimsel doğruluğun daimi yan ürünü insani konularda ortaya çıkan yanılsamadır ve felsefe, doğruluğu bu beladan kurtarmak için elimizde olan en sağlam silahtır.

Felsefenin kolay olmasını ummak ve teknik ayrıntılara girmeden felsefe yapılabileceğini düşünmek hata olur. Felsefi sorular normal düşüncenin sınırlarında, kelimeler yetersiz kaldığında ve bilinmeyeni kendi yarattığımız bir söylemle açıklamaya çalıştığımızda ortaya çıkarlar. Tam da bu sebepten ötürü felsefe okurunun, konunun bilinen zorluğundan faydalanarak, incelenmemiş önermeleri, üzerinde çok fazla çalışılarak elde edilmiş sonuçlar gibi göstermeye çalışan sahtekârlara karşı dikkatli olması gerekir. Bu tür bir sahtekâr -Michel Foucault- kitapta karşımıza çıkacak ancak amacım (bu her ne kadar gerekli olsa da) zamanımız için bir *sottiserie* yaratmak değil. Amacım, felsefenin doğruluk hakkındaki doğal ilgimizin uzantısı olduğunu göstermeye çalışan felsefi argümanı inanılır kılmak ve felsefenin modern kafa karışıklığını gidermeye çalışan bir tür terapi olduğunu göstermektir.

Bu kitabı yazmam için beni yüreklendiren Robin Baird-Smith'e ve kitabı mantık ve biçem hatalarından temizlemek için harcadığı çabalarla, beni geride kalan hataların günahından kurtarmış olan David Wiggins'e minnettarım. Ayrıca kitabın ilk okumasını yapan ve hayati düzeltmelerde bulunan iki akıllı kadına, Fiona Ellis ve Sophie Jeffreys'e de minnet borçluyum.

1996 baharı, Malmesbury.

1
Neden?

Kelime anlamı bilgeliğe duyulan sevgi olan felsefe ile iki farklı biçimde tanışılabilir: Yaparak veya tarih boyunca nasıl yapılmış olduğunu inceleyerek. Üniversiteye başladıklarında herhangi bir konuda yazılmış olabilecek en geniş literatür ile karşı karşıya gelen felsefe öğrencileri, ikinci yolu gayet iyi bilirler. Bu kitap ise antik zamanlardaki yöntemi izlemeye, felsefeyi yaparak öğretmeye çalışmaktadır. Metin içerisinde büyük filozoflardan bahsetmiş olsam da onların fikirlerini irdelemek için güvenilir bir rehber ortaya koyma iddiasında değilim. Filozofların argümanlarını kapsamlı bir şekilde sunmaya çalışmak; benim temel amacım olan, felşefeye hayat kazandırmayı daha zor hale getirecekti.

Yaşadığımız hayatın, felsefi geleneğin geliştiği ilk zamanlardaki hayatla pek bir alakası kalmadı. Platon ve Sokrates küçük ve samimi bir şehir devletinin* yurttaşlarıydılar. Bu şehirde herkesin kabul ettiği erdem ve zevk standartları bulunuyordu ve eğitimli insanlar hayata bakışlarını eşi benzeri bulunmayan, tek bir şiir koleksiyonundan** ediniyorlardı. Öte yandan diğer bilgi türleri de nadir ve değerliydi. Entelektüel dünya henüz birbirinden bağımsız bölgelere ayrılmamıştı; düşünme eylemi, her yöne serbestçe yayılabilen ve insanın zihnin uçurumları karşısında şaşkınlıkla durakladığı bir maceraydı (ki bunu şimdi felsefe diye biliyoruz). Atina'nın büyük filozoflarının aksine

* *Atina kastediliyor.* (ç.n.)
** *Homeros kastediliyor.* (ç.n.)

bugün bizler; yabancılarla dolu, zevk standartlarından tamamen yoksun, eğitimli insanlara ait ortak bir kültür barındırmayan ve her bilgi alanının, dışarıdan gelen fikirlere karşı örülen duvarlar arasına hapsedildiği bir dünyada yaşıyoruz. Hiçbir şey sabit değil bugünkü dünyada: Entelektüel yaşam, sayısız kaynaktan çıkan seslerin yarattığı şamatanın üzerine çıkıp kendini duyurmaya çalışan dev bir karmaşa. İletişimin yoğunluğu arttıkça, iletilenin kalitesi düşüyor. Bu konuda gösterilebilecek en önemli örnek, artık bunu ifade etmenin kabul edilir olmaması. Popüler beğeniyi eleştirmek, elitizm suçlamasına çardak tutmak anlamına geliyor. Erdemli ile ahlaksız, güzel ile çirkin, kutsal ile dünyevi, doğru ile yanlış gibi değer farklılıklarını savunmak ise; kabul gören yegâne genel değer yargısına, yani değer yargılarına sahip olmanın yanlış olduğunu iddia eden değer yargısına karşı gelmek olarak görülüyor. Bu koşullar altında felsefenin görevi de farklılaşmak durumunda. Platon için felsefe, ortak kültürün kabul gördüğü bir toplumda, doğruluğuna kesin gözüyle bakılan inanışlarının içini boşaltıp, şüphe ve hayretten geçerek hakikatler dünyasına ulaşma yoluydu. Günümüzde artık kesinlikler de, ortak kültür kavramını hak edecek bir birlik de bulunmuyor. Her şeyden şüphe duymak popüler medyanın nakaratlarından birisi haline geldi, kuşkuculuk her yönde yayılıyor ve felsefe; geleneksel çıkış noktası olan sarsılmaz bir toplum inancından yoksun bırakılmış durumda. Günümüzde işe kuşku ile başlayan bir felsefi tutum, zaten kimsenin inanmadığı şeylere saldırdığıyla kalır, hiçbir şeye inanmayı da öneremez. Rasyonel düşüncenin doğasını ve sınırlarını belirlemedeki başarısı ne kadar büyük olursa olsun, bu tür kuşkucu bir felsefe, günlük hayattan kopma ve felsefenin antik zamanlardaki amacı olan dolaylı yoldan da olsa, bilgece ve iyi yaşama vaadinden vazgeçme tehlikesi ile karşılaşır.

Bertrand Russell, haklı olarak beğeni kazanan *The Problems of Philosophy** kitabında; felsefeyi kitabın isminde belirttiği gibi, bir dizi sorun olarak tanımlamıştı: Hiçbir cevabın kesin olarak doğru olduğu bilinemeyeceğinden; felsefe ile, sorularına kesin cevaplar bulmak için değil, soruların kendisi için uğraşılmalıydı.

* Bertrand Russell, *Felsefe Sorunları*, Çev. Vehbi Hacıkadiroğlu, Kabalcı Yay., 1994. (y.h.n.)

Böyle bir uğraşın nasıl bir anlamı olduğu sorulabilir. Zaten az sayıda cevaba sahipken neden enerjimizi hiçbir cevabı olmayan sorulara harcayalım? Russell için amaç, "Bağımsız bir zihne sahip olmak, Tanrı'nın gördüğü gibi, *burada ve şimdi* olmaksızın, umut ve korkunun ötesinde, alışılmış inançların ve geleneksel önyargıların engeline takılmadan; dünyayı dingin, tutkusuz, yalnız ve yalnız bilgi isteği ile görmek; insanın düşünce hayatı yoluyla edinebileceği en nesnel bilgiyi edinmek"ti. Olabilecek en geniş özgürlük alanını vaat eden böylesine saf ve soyut bir çabanın, aynı zamanda gelenek ve önyargılardan, şimdi ve burada olmaktan kurtaran görünümüne aldanmak kolay. Öte yandan retoriğinin maskesinin altında, Russell'ın endişesi de açıkça görülüyor. Şimdi ve burada yaşamak zorunda olduğumuzu ve bunun zor olmasının altında da alışılmış inançların ve geleneksel önyargıların inanılırlığını kaybetmiş olmasının yattığını biliyor. Bizler umutla ve korkuyla yaşayan yaratıklarız; umut ve korkularımızdan arınırsak, sevgi duymayan ve sevilemez yaratıklara dönüşürüz. Dünyayı dingin ve tutkusuz görmek, yalnızca bazen ve belli konularda doğru bir tutum olabilir. Bütün bunların yanı sıra, Russell'ın bu sözleri 1912'de, yani kuşkuculuğun henüz insanlığın gündelik düşüncesi değil, yönetici sınıflara ait bir lüks olarak görüldüğü yıllarda söylemiş olduğunu hatırlamakta fayda var.

Russell; soyut sorular üzerinde düşünürken, felsefe tarihi boyunca süregelen geleneğe sadık kalmaktadır. Bu tür soruların erdemi; bizleri bencilce kuruntulardan kurtarıp, duygular dünyasından uzak tutarak, resmi bir an için de olsa kendimiz içinde değilmişiz gibi görmemizi sağlamasıdır. Fakat tüm insanlar gibi, felsefecilerin de kendi hayat biçimlerini en iyi hayat tarzı, hatta yegâne kurtuluş yoluymuş gibi gösterme eğilimleri vardır. Bu yolla kendilerini bir tür yanılgıdan kurtarsalar da, başka türden ve kendini aynı derecede haklı çıkarmaya çalışan yanılgılara kapılmakta, üstelik kendilerini bundan ötürü yüce gönüllü görmektedirler. Tutkusuz ve düşünceye adanmış bir hayatı yüceltmelerinin nedeni, seçtikleri hayat biçiminin bu olmasıdır. Bize tıpkı Platon gibi, bu tür hayatın daha ulvi bir dünyanın kapılarını araladığını ya da Spinoza gibi, dünyamızı başka biçimde, sonsuzluğun ışığı altında görme imkânı sağladığını söylerler. Bizim duygularla yönlenen hayatımızı küçümseyip, Sokrates'in sözleriyle sorgulanmayan bir hayatın, yaşamaya değer olmadığını hatırlatırlar. Bu durumda Nietzsche'ye hak verip, felsefecilerin hakikatin kendisiyle değil, kendi hakikatleriyle ilgilendiklerini, hakikat diye pazarladıkları şeyin de kendi duygularının tortularını taşıdığını kabul etmek insana çok çekici geliyor.

Bu hüküm de, Nietzsche'nin diğer bütün hükümlerine benziyor; adil değil ancak haklı bir tarafı da var. Bizim Batı geleneğimizdeki felsefe, dünyaya basit ve sağduyulu bir bakışın var olduğunu ve ortalama insanların da bu bakışa sahip olduğunu varsayar: Bakışı sorgulamak ise felsefenin işidir. Sonuçta, Nietzsche'de olduğu gibi normal bakış tamamen altüst olabilir ya da Wittgenstein'da olduğu gibi sorgulamayı sorgulayarak sahip olduğumuz yegâne şey olan kendi ortak hayat biçimimize geri dönebiliriz. Ancak arka plan varsayımı yapılmazsa, ortada altüst olacak veya onaylanacak bir normallik kalmıyor, ki bu durumda felsefe de işe başlamakta zorlanıyor. İçinde bulunduğumuz durumun tuhaflığı da, arka plandaki bu normallik varsayımının artık yapılamıyor olmasından kaynaklanıyor. Geleneklerin, göreneklerin, âdetlerin ve dogmaların yıkıntısına bakıp, insanca olan her şey gibi, yıkılması yaratılmasından çok daha kolay olduğu anlaşılan bu şeylere karşı çaresiz bir sevecenlik duyabiliriz ancak. Peki, bütün inançların, tırnak içinde de olsa, aynı zamanda hem onaylandığı hem de şüpheli görüldüğü; bazılarının ifadesiyle, modern kuşkuculuktan postmodern duruma uzanan bu çok ciddi değişim durumunda felsefe ne vaat edebilir?

Çek filozof T. G. Masaryk (1850-1937) modern dünyadaki problemlerin birçoğunu yarı eğitime bağlıyordu. Ona göre, insanların umutlarının tahrik edilmesinin ve dünyadaki kesinliklerin yıkılmasının nedeni, kamusal hayattaki yarı eğitimlilerin ağırlığıydı. Bütün inançlar şüphenin içinde eritilmiş, her tür ahlak göreceli hale getirilmişti ve sıradan hoşnutluk hali, sosyal düzenin temellerini destekleyecek kadar değil de sadece sorgulayacak kadar vizyona sahip insanların alaycı eleştirileri ile yok edilmişti.

Masaryk'in bu şikâyeti de Russell'ın soyut düşünceye bağlılığını ilan etmesi gibi, başka bir dünyaya ait bir duruştu. Bu dünya, kısa süre sonra çıkan büyük savaşın* karmaşası içinde yok olacak ve Masaryk, yeni kurulacak olan Çekoslovakya'nın başına geçecekti. Yine de bu şikâyetin, dünyası kuşkuculuk tarafından bozulan, ne yapacağını bilmek istediğinde kimsenin yol göstermediği, gösterenlerle de alay edildiği günümüz dünyası insanları, yani bizler için derin bir anlamı var. Eğer yarı eğitim kesinlikleri zayıflattıysa, bunu düzeltecek tam bir eğitim var mıdır? Yoksa, tüm bu düşünce maceramızın sonunda elimizde bir avuç tozdan başka bir şey kalmayacak mı?

Bu kitapta, felsefenin içinde bulunduğumuz bu yeni durumda nasıl bir çözüm önerebileceğini göstermeye çalışacağım. Benim anlayışıma göre felsefenin görevi, insan dünyasına düşüncesizce verilen hasarın, düşünce yoluyla giderilmesi olmalıdır. Hasar gören şey din, ahlak veya kültür değil, sıradan insanların dünyasıdır. Bu dünya, masumiyetini kaybetmemiş, bilime rağmen varolan dünyadır. Russell, felsefenin sorularla başladığı varsayımında da, ortalama ilgilerin ötesinde derin düşüncenin hâkim olduğu soyut düzlemde cevaplar aradığı görüşünde de kesinlikle haklıydı; ancak felsefenin görevi bu uçsuz bucaksız arayıştan ibaret değil. İnsanların dünyasına geri dönen bir yol var, bu yol da soyut düşünceyi takip ederken dünyayı aşındıran adımlarımızı geriye doğru takip etmekten geçiyor.

Bizler rasyonel varlıklarız, soru sormak da doğamızda var. Köpek ve kediler, Schopenhauer'ın tabiriyle algı dünyası içinde yaşarlar. Onlar için şu andaki deneyim her şey; düşünceleri ise bu anla bir sonrakini birbirine bağlayan sarsak bir beklenti köprüsünden fazlası değildir. Bizler ise olanları açıklama isteğinin tedirginliği ile yaşarız. Alışılmamış bir durumla karşılaştığımızda, ilk düşüncemiz "Bundan sonra ne olacak?" değil, "Neden?" olur. Bu soruların ikincisini cevapladıktan sonra ilk sorunun cevabını da bulabiliriz. Bu da, kısa anlatımıyla, bilimsel yöntemin esasıdır.

---

* Birinci Dünya Savaşı kastediliyor. (ç.n.)

Öyleyse, bilimle felsefeyi birbirinden ayıran çizgi nerede? Yoksa felsefe sadece daha genel bir bilim türü mü? İlk filozofların düşüncesi bu yöndeydi, Thales ve Herakleitos gibi büyük filozofların argümanları; tarihöncesinin karanlığından çıkıp bizlere "Her şey sudur", "Sadece ateş vardır" diye seslenen, anlaşılması zor, ilkel çığlıklar gibi. Felsefe-bilim ilişkisi gerçekten çok önemli çünkü felsefenin konumunu hiçbir şey modern bilimin başarısı kadar çok değiştirmedi.

Bilimsel açıklamalar bize gözlemlerimizin nedenlerini açıklarlar. Eğer bilimsel bilgi sayesinde geleceği öngörmek mümkün olmasaydı, onun yararı da tarihsel bilgi gibi şu andaki haline göre çok daha az olurdu. Bilim; nedensellik kuralı sayesinde, teşhisi öngörüye dönüştürme becerisi kazanır. Bu kural bize arka arkaya meydana gelen iki olayda, birincinin ikinciye neden olduğunu belirtmekle kalmaz; birincinin gerçekleşmiş olmasının, ikinciyi daha muhtemel kıldığını da söyler. Alfred'in musluğundan su içtikten sonra hastalandıysam, hastalığımın nedeninin içtiğim su olduğundan şüphelenebilirim. Şu anda yalnızca bir hipotez olan bu düşünce, aynı musluktan su içen başkalarının da aynı hastalığa yakalandıklarını gözlemlersem doğrulanmış olur. Böylece ortaya bir kural koyarım: Alfred'in musluğundan su içen, muhtemelen hastalanır. Bu ifade iki bakımdan ilginçtir: Birincisi açık uçludur, sadece gözlemlenen durumları kapsamakla kalmaz, daima geçerli olan bir kural koyar. Böylece teşhis, geleceği de öngörmesiyle beraber güçlenir ve öngörüye dönüşür. İlginç olan ikinci şey ise, ifadenin olasılık belirtmesidir. Alfred'in musluğundan su içen herkesin hastalanacağını öngörmez, sadece su içilmesi durumunda bu sonucun daha muhtemel olduğunu söyler. Olasılık ölçülebilir bir şeydir, eğer gözlemlenen durumların %60'ı aynı sonucu verirse, elimizdeki verilere göre bundan sonraki durumlarda da bu sonucunun gerçekleşme olsalığının %60 olduğunu varsayabiliriz.

Bu anlattığım, bilimin işleyişinin çok basit bir örneği. "Niye hastalandım?" sorusuna "Alfred'in musluğundan su içtiğim için" cevabını veriyor. Ama bu cevap başka bir soruya yol açıyor: "Alfred'in musluğundan su içmek neden hastalığa neden oluyor?" Bu tür soruları sora sora sonunda nedensel kurallardan;

sadece gözlemleri kaydetmekle kalmayıp, arka plandaki yapıyı da açıklayan doğa yasalarına ulaşırız. Örneğin, Alfred'in su deposunda bir organizmanın yaşadığını, aynı organizmanın insanların sindirim sisteminde de yaşayıp iltihaplanmaya sebep olduğunu fark edebiliriz. Bu tür organizmaların hayatlarını bu biçimde sürdürmeleri ve insanların sindirim sisteminin onların varlığında böyle reaksiyon göstermesi doğa yasaları kapsamına girer. Bunlar sadece gözlemlerimizin değil, olayların nasıl gerçekleştiğinin de ifadesidir. Konuyu derinliğine inceleyerek, iltihaplanmaya sebep olan kimyasal reaksiyonu kesin olarak belirleyebiliriz. Derine indikçe ve daha somut bilgilere ulaştıkça, bir tedaviye ulaşma ve hastalığın yayılmasını engelleme ihtimalimiz de artar.

Bilimsel yöntemin doğası ve sınırları akademik felsefeciler arasında hararetli tartışmalara neden olmaktadır. Ama verdiğim örnek en azından şunu gösteriyor: İlk olarak; neden arayışı yasa arayışını gerektirir; ikincisi yasalar olasılık ifadeleridir; üçüncüsü yasalar da daha geniş ve daha genel yasalarla açıklanırlar; dördüncüsü bir şeyin nedenini araştırırken daima daha derine inebiliriz ve son olarak; derine indikçe kendimizi, gözlemlediğimiz dünyadan daha uzakta buluruz. Araştırmamızın sonunda gözlemi tamamen imkânsız olan süreçleri bile açıklar hale gelebiliriz. Hatta kuantum mekaniğinde olduğu gibi, gözlemleyemediğimiz ve gözlem diliyle ifade bile edemeyeceğimiz süreçlere varırız. Kuantum mekaniğinin de gösterdiği üzere; ilk hipotezlerimizde ortaya çıkan olasılık kavramı, vardığımız sonuçta yeniden belirir: Doğa dünyası yasalarla yönetilir ancak ne kadar derin olursa olsun, hiçbir bilimsel yasa, bir olasılık ifadesinin ötesinde kesin değildir. Doğal dünyada hiçbir şey için "Böyle olmak zorunda" diyemeyiz, en fazla "Böyle olması yüksek olasılık dahilinde" diyebiliriz.

Tarihinin yakın geçmişinde, bir dönem felsefeye mantıksal pozitivizm olarak bilinen ve iki dünya savaşı arasında Viyana'da ortaya çıkan bir düşünce okulu hâkim oldu. Bu okulun fikirlerini İngilizce'ye A. J. Ayer ünlü *Language, Truth and Logic* * (1936)

---

* A. J. Ayer, *Dil, Doğruluk ve Mantık*, Çev. Vehbi Hacıkadiroğlu, Metis Yay., 1984. (y.h.n.)

kitabıyla aktardı. Pozitivistler, felsefenin cafcaflı saçmalıklarıyla yan yana konduğunda yöntemleri ve sonuçları son derece net ve su götürmez olan bilimden çok etkilenmişlerdi. Felsefede ortaya çıkan her uyuşmazlık, katılımcıların kendi kurallarını koymaları ile sonsuz hale gelirken; bilimsel soruların anlamının ortak kavrayışından yola çıkan insanların, nasıl olup da böyle verimli tartışmalar yapabildiklerini açıklamaya çalıştılar. Felsefi önermelerin çoğunun anlamsız olduğu sonucuna vardılar ve sonuçlarını sağlama almak için doğrulanabilirlik ilkesi adını verdikleri bir anlam kriteri önerisinde bulundular. Bu ilkeye göre; bir cümlenin anlamını, önermenin doğru ya da yanlışlığını belirleyen işlemlerden oluşan doğrulanma yöntemi belirliyordu. Bilimsel önermeler gözlemlerle doğrulandığı için anlamlıydılar. Hiçbir gözlem, deney veya analiz "Mutlak Birdir ve her şeyi kapsar" önermesini doğrulayamayacağı için bu cümleleri anlamsız saymalıydık.

Günümüzde mantıksal pozitivizmin fazla takipçisi kalmadı. Bunun sebebini anlamak zor değil: Doğrulanabilirlik ilkesinin kendisi doğrulanamaz, bu yüzden de kendini anlamsız olmaya mahkûm eder. Yine de pozitivistlerin bilim anlayışı hâlâ oldukça etkili. Pek çok felsefeci, gözlemi sadece bilimsel doğrulara ulaşmanın yolu değil, aynı zamanda bilimin gerçek konusu olarak görüyor. Onlara göre; yasalar ve teoriler, gözlemlerin genellenmesi yoluyla elde ediliyor ve ortaya gözlemlerin hepsini kapsayan kusursuz bir resim çıkıyor. En son tahlilde demek istedikleri bu: Gerçeklik; sistematik görünüş* oluyor, teoriler da gözlemlerin özeti.

Daha önce verdiğim örneğe bakarsak yukarıdaki resmin tuhaflığını görebiliriz. Bilim gözlemle başlayabilir ancak amacı görünüşleri özetlemek değil, gerçeklikten ayırmaktır. Bilim, gözlemden yola çıkıp gözlenmemiş olana varan ve sonunda gözlenemeyene ulaşan bir keşif yolculuğudur. Bilimin kavramlarının ve teorilerinin tanımladığı gerçeklik, görünüşler dünyasının o kadar uzağındadır ki, onu tasavvur etmekte zorlanırız. Bilimin sonuçlarının doğruluğu, gözlemlerle *sınanır* ancak bu durum,

* (İng.) Appearance. (y.h.n.)

aslında gözlemin sınama anlamına gelmesinin basit bir sonucudur. Bilim, dünyanın görünüşünü açıklar ama tanımlamaz.

Bu durumda sık sık felsefe için öne sürülen, *görünüşlerin* gerisindeki *gerçekliği* gösterme iddiası, aynı şekilde ve daha makul olarak bilim için de öne sürülebilir. Bilimin yöntemleri kabul görmüş, kesin ve tartışma götürmez iken; felsefeninkiler karanlık, tartışmalı ve belirsiz ise, felsefeye niye ihtiyacımız olabilir ki? Felsefenin dünyayı anlamada bize yapabileceği katkı nedir?

Bu sorulara verilebilecek cevaplardan biri şöyle olabilir: Bilim, "Neden?" sorusunu sorduğumuz yerde başlar. Gözlemlenen olaylardan başlayarak, bizi önce onlara sebep olan yasalara, ardından daha yüksek ve daha genel yasalara ulaştırır. Ama bu süreç nerede sona erer? Eğer her cevap yeni bir soruya neden olacaksa, bilimsel açıklamalar ya eksiktir ya da bilimsel açıklamaların sonu yoktur (ki bu da eksik olmanın başka bir türüdür). Fakat bu durumda bilim en azından bir soruyu cevapsız bırakmış olur: Niye hâlâ bir nedenler dizisinin var olduğunu bilmiyoruz? Bir olayın nedenini bir başka olayda bulabiliriz ama dünyanın nedeni hakkında ne söyleyebiliriz? Evrenbilimciler [kozmolojistler] evrenin kökenlerini tartışırken bir kısmı Büyük Patlama'yı [Big Bang], diğerleri yavaş yoğuşmayı savunuyor. Ancak durumun doğası gereği bu tür teoriler can alıcı bir soruyu cevapsız bırakıyorlar: Evrenin belli bir zamanda yokluktan başladığını varsaysak bile, açıklanması gereken bir şey daha kalıyor: O zamanki ilk koşullar. Sıfır ânında, evren hakkında bir şeyler doğru olmalıydı; yani *bu* büyük olay var olmaya başlamalı ve o anda geçerli kuralların gerekli sonuçlarını ortaya çıkarmalıydı. Peki, *bu durumun* arkasındaki neden neydi?

Pozitivistlerin yanı sıra, çoğu bilim insanı da, böyle soruları anlamsız görerek reddeder. Ama bu reddin tek nedeni bilimin bu soruya cevap verememesi ise, bu ret sadece kendini haklı çıkarma çabasından ibarettir. Bu sorunun *elbette ki* bilimsel bir cevabı yoktur: Bu soru bilimin ötesindedir, her ne kadar bilimsel çalışmalar yapılsa da bu soru yine de cevapsız kalacaktır. Bu felsefi bir sorudur.

Kuşkucu birisi, bu noktada, "Peki" diyecektir, "Ama bu noktadan, bu sorunun bir cevabının olduğu sonucuna da varamayız.

Belki de felsefi sorular düşüncemizin sınırlarında ortaya çıkarlar, buralarda da aklın gücü yetersiz kalır ve sorulara cevap bulamayız." *Kritik der reinen Vernunft** kitabında Kant, bu yönde kanıtlar sunmaya çalışmıştı. Ama kanıtı sunmak için bile bir felsefeci gerekli ve eğer Kant haklıysa, bu durumda en azından bir felsefe sorusunun cevabı var demektir. Evrenin varlığının bir açıklamasının olup olmadığı sorusu bilimsel değil felsefi bir sorudur, Kant'ın bu soruya cevabı, evrenin varlığının bir açıklaması olmadığı yönündedir.

Felsefecilerin hepsi Kant'la aynı kanıda değildiler. Kant'ın verdiği isimle anılsa da aslında 11. yüzyılda Canterbury başpiskoposu olan Aziz Anselmus'un öne sürdüğü bir argüman var ki, her şeyin eksiksiz ve nihai açıklamasını, en azından tek bir şeyin *zorunlu* olarak var olduğunu kanıtlamaya dayandırıyor. Ontolojik argüman genellikle Tanrı'nın varlığının kanıtı olarak sunulur ancak daha geniş bir yoruma da açıktır ve Spinoza ve Hegel'in argümanlarında her "Neden?" sorusuna nihai cevap olarak verilir. Ontolojik argümana göre Tanrı, tanımı gereği, mükemmeliyetlerin toplamıdır. Mükemmeliyetin bir parçası olan var olmak da Tanrı'nın bir özelliği olmalı, özünde bulunmalıdır. Tanrı var olmak zorundadır; neden var olduğu sorusu, *cevabını* da içinde taşır. Tanrı'nın varlığı başka her şeyi açıkladığı için, "Dünya neden var?" sorusu da dahil, hiçbir "Neden?" sorusu cevapsız kalmaz.

Kısa ve kaba haliyle bu argüman bir tür safsata gibi gözükür. Bu yüzden her seferinde kısa ve kaba haliyle değil de, kurnaz detaylarla paketlenmiş olarak sunulur. Ontolojik argüman, gerçekten de Tanrı'nın varlığı hakkında hâlâ geçerliliğini koruyan tek argümandır, hatta belki Anselm bu argümanı açıkça ortaya koymadan önce de *vardı*. Yuhanna *İncili*'nin etkileyici açılışındaki "Başlangıçta söz *(logos)* vardı" cümlesiyle başka ne kastediliyor olabilir ki? Antik Yunan felsefesinde *logos* sadece söz değil; aynı zamanda akıl, argüman, açıklama ve her "Neden?" sorusunun cevabı anlamına gelmekteydi. Başka bir deyişle (ya da Yunancada, aynı deyişle): Başlangıçta kendini cevabını içinde barındıran "neden" vardı.

---

* Immanuel Kant, *Arı Usun Eleştirisi*, Çev. Aziz Yardımlı, İdea Yayınları, İstanbul, 2015. (y.h.n.)

Bu cümle üzerine düşünen Goethe'nin *Faust*'u onu bir adım ileri taşır. Olayları sözler değil, eylemler ortaya çıkarır, dünyanın bizim için bir anlamı varsa, nedeni: *Im Anfang war die Tat*'*dır*; yani başlangıçta eylem vardır. "Kimin eylemi?" sorusunu sormayalım, bu soru bizi sonu olmayan nedenler nehrine geri döndürür. Bunun yerine "Olanların nedeni nasıl değişti ki onları sadece olaylar olarak değil eylemler olarak görmeye başladık?" sorusu üzerinde duralım. Örneğin: Yargıç bana karımın çayına neden arsenik koyduğumu sorduğunda ona; beynimdeki elektrik akımlarının elimin şişeye uzanmasına ve onu çay bardağına boşaltmama neden olduğunu söylersem, bu cevap onu tatmin etmeyecektir. Oysa bu açıklama, bilim insanlarının anlam verdiği biçimdeki "Neden?" sorusuna verilen, nedeni gösteren, doğru bir cevaptır. Yargıcı tatmin etmemesinin nedeni ise *yanlış türden* bir cevap olmasıdır.

Bu durumda "Neden?" sorusunda bir belirsizlik olduğu ortaya çıkıyor. Bu soru bazen bir neden, bazen de bir *gerekçe* göstererek cevaplanıyor. Yargıç bana *amacımın* ne olduğunu sormuştu. Ona, şişeyi viski şişesiyle karıştırdığımı ya da uyarı olarak az miktarda arsenik vermeyi amaçladığımı ya da açıkça karımdan bıktığım için onu öldürmek istediğimi söylersem; eylemim hakkında bir gerekçe vermiş olurum. Bu durumda verilen cevap, soruya uygun olacaktır. Gerekçelerin, değişik türden olmakla beraber yine de nedenler olduğunu savunan felsefeciler vardır. Aslında yukarıda verdiğim üç cevap da geçerli açıklamalar; ama neden göstermeyen bir açıklama ne ifade eder? Yine meselenin özüne tam olarak ulaşamadık. Gerekçelerin tuhaflığı; onları tartışmanın, kabul etmenin ya da reddetmenin mümkün olması. Karşı gerekçeler sunmak, gerekçenin sahibini bu yüzden övmek veya kınamak da mümkün. Gerekçeler nedenler sayılsalar bile, bilimsel teorilerin tarafsızlığından uzak, manevi anlam kazanmış nedenler olabilirler ancak.

Verdiğimiz örnekteki belirsizlik başka bir biçimde de ifade edilebilir: Eylemlerimizi bazen açıklarız bazen de gerekçelendiririz. Açıklamalar doğru ya da yanlış olabilirken; gerekçeler, iyi ya da kötü olarak değerlendirilir. Gerekçeler, insanların birbiriyle ve dünyayla ilişkilenmeleri sırasında oluşan ve sonu gelmeyen manevi diyaloglar esnasında kullanılırlar. Bu nedenle (deneysel psikoloji gibi) davranışçı bilimlerin sunduğu açıklamalardan çok farklı bir yapıda olmalarına ve bambaşka kavramlar kullanmalarına şaşmamak gerekir. Yargıca verdiğim ilk cevap, yanlış olduğu için değil; benim eylemimi gerekçeler evreninden uzaklaştırdığı, *benimle* ilişki kurmadan açıkladığı için saçmaydı. Öte yandan, davranışçı bilimler tam da böyle bir açıklama yapmak durumundadır: Gözlemlerimizi açıklayan *temeldeki mekanizmaları* ortaya çıkararak.

İşte yine kalıcı bir çelişki ile karşı karşıyayız. Öyle gözüküyor ki, dünyayı iki farklı biçimde tanımlamak mümkün: Biri bizi de içinde bulunduran dünya, diğeri ise üzerinde eylemlerde bulunduğumuz dünya. Bizler doğanın birer parçasıyız ve doğa yasalarına tabiyiz. Öte yandan doğanın işleyişinin dışında kalıp, kendi irademizle karar verdiğimize inandığımız seçimler yapabiliyoruz. Doğa bizim için birçok anlam ifade ediyor ve bunları bilimsel teorilerde yer alamayacak biçimlerde sınıflayabiliriz. Bir başkasının gülümsemesini gördüğümüzde, aslında sinirlerdeki elektrik akımına uygun olarak hareket eden insan eti görürüz. Bu süreçte doğa kanunları askıya alınmaz, doğaya rağmen değil, doğa sayesinde gülümseriz. Yine de, gülümsemeye farklı bir anlam yükleriz. Onu, hareket eden et parçası olarak değil, özgürce ortaya konan insan ruhunun ifadesi olarak görürüz. Bir gülümseme; sadece etin hareketi olsa bile, bizim için daima bunun ötesindedir.

Bir gülümsemeye yöneltilen "Neden?" sorusu, aslında bir anlam arayışıdır. Gülümsemenin bir gerekçesi olabilir ancak gerekçesi yoksa bile bir nedeni vardır. Bir gerekçe ya da neden sunmamasına rağmen, gülümsemeyi dingin bir kabulleniş hareketi olarak kabul edebilirim. Bu da neden güldüğüm sorusunun cevabı olabilir. Bu tanım, *gülümsemeyi anlaşılabilir kılar*. Burada insanlardan daha geniş bir alana uygulanabilecek bir "neden" türü görüyoruz. Müzikteki bir notanın, resimdeki bir çizginin nedeni bu türdendir. *Tristan*'ın açılış akorunun neden la minörün yedinci dominantında çözüldüğünü, Wagner'in bunu yazma gerekçesini öğrenerek ya da bir neden arayarak değil, bu iki akorun birbirini dengelemedeki ağırlığını kavrarken, aralarında hareket eden insan sesini izlerken, müzikle birlikte durup hiç gelmeyecek olan diğer çözülmeyi beklerken anlayabiliriz. Müzik eleştirisi bu müziğin "neden"ini açıklayabilir ancak duyduğumuz müziği anlamak için bu açıklamaya ihtiyacımız yoktur. Tıpkı gülümsemeyi anlamak için açıklamaya ihtiyaç duymadığımız gibi. Burada anlama, özgür varlıklar olarak dünyayla ilişki kurmamızın bir yolu olarak, *sui generis*'dir yani kendine özgüdür.

Burada felsefenin bir başka göreviyle, bizim durumumuzda belki de en önemli göreviyle karşılaşıyoruz. Dünyayla özgür varlıklar olarak ilişki kurarken anlamlar ve gerekçeler ararız ve dünyayı bilim tarafından ortaya çıkarılan kendi iç doğasına göre değil, bizim ilgilerimize göre sınıflarız. Gerçekten de dünyanın anlamı ancak bilimin dilinde yeri olmayan kavramsallaştırmalarda bulunabilir; özgürlüğün "Neden?" sorusu için vazgeçilmez olan; güzellik, ruhun iyiliği, gibi insani söylemin en üst tabakasında hayat bulan kavramlarda. Bu üst tabaka, üzerindeki bitki örtüsü temizlendiği zaman çabucak erozyona uğrar ve üstünde bir daha hiçbir şeyin büyümeme tehlikesi belirir. Bu süreci, örnek olarak cinsellik konusunda işbaşında görebiliriz. İnsan cinselliği, eskiden beri aşk ve ait olma düşünceleriyle beraber anılmıştır. Bu kavramları edebi fikirler ve tasvirlerin oluşturduğu büyülü bir koruluk korumuş ve iki farklı cinsiyetten insanlar bu şekilde çok mutlu değilse bile, kabul edilebilir bir mutsuzlukla bu günlere gelmişlerdir. Son dönemde ortaya çıkan seksologlar; bu karmaşık dokuyu temizleyip, bilimsel gerçekleri ortaya koymaya kalkıyorlar: Amerikalı insansıların davranışı üzerine yazılan acımasız raporlarda gördüğümüz hayvan organları, ahlakdışı dürtüler, karıncalanmalar... Hiçbirinin deneyimin *anlamının* bilimsel tanımda yeri yok. Bilim, doğru olan üzerinde mutlak hâkimiyet sahibi olduğunu iddia ettiğinde ya da varsaydığında, anlam uydurmacaymış gibi görülebiliyor. Bazıları kısa bir süre için de olsa yeni anlamlar bulmak isteyebiliyorlar, hatta bunu eskisinden daha iyi yapabileceklerini umuyorlar ama başarısız olup cinsellikte biyolojiden fazlasını arayan eski kafalılarla alay etmeye başlayor ve hedonizme kayıyorlar.

Yukarıda bahsettiğim durum, büyük sosyolog Max Weber'in (1864-1920) *entzauberung- büyü bozumu* ismini verdiği sürecin bir örneği. Felsefe ve sadece felsefe, dünyayı anlamamızı ve dünya üzerinde eylemlerde bulunmamızı mümkün kılan kavramların tarafını tutup savunabildiği için bizim için faydalıdır. Kişi kavramı gibi bilimde yeri olmamasına rağmen dünyayla hakiki bir ilişki kurduğumuzda çıkardığımız anlamları tanımlayan kavramları... İnsani şeylerin derinliğini bilimsel yöntemle araştırma çabasının, yüzeydeki gelişmelere verdiğimiz tepkileri bozup tahrip etme tehlikesi olsa da bizler yüzeyde yaşar ve eylemlerde bulunuruz. Yüzeyde yaratılan ve sosyal ilişkiler tarafından desteklenen karmaşık görünümler olan bizler, yine görünümlerden oluşan o yüzeyi aslında yaratırız da. İnsan mutluluğunun tohumları bu yüzey toprağının üst tabakasına atılır, yüzeyi kazımak amacında olan pervasız istek -Marx'tan Freud'a ve sosyobiyolojiye kadar bütün insan bilimlerine ilham veren bu istek- bizi bu teselliden mahrum eder. Dolayısıyla felsefe, bir tür kavramsal ekoloji uygulaması olarak önemlidir. Dünyaya yeniden büyü kazandırmak ve "görünüşleri kurtarmak" için son bir savunma çabasıdır. Oscar Wilde'ın da dediği gibi, sadece son derece sığ bir kişi görünümlere bakarak hüküm vermekten kaçınır.

Sonuç olarak, felsefenin iki farklı çıkış yolu vardır: Birincisi açıklamanın "Neden?" sorusuna verilen cevabı tamamlamak; ikincisi de farklı türden "Neden?" sorularını desteklemek. Bunlar gerekçe arayan "Neden?" ve anlam arayan "Neden?" sorularıdır. Felsefenin çoğu geleneksel dalı, bu iki tür çabanın ürünüdür: Bunların ilki umutsuz bir girişimdir, ikincisi ise en zengin umut kaynağımız.

2
Doğruluk

Çoğu dedik ancak hepsi değil. Felsefenin, bizim için de Platon'un önemsediği kadar kaçınılmaz olan; her yerde ve daima geçerli olan bir hayati görevi daha vardır: Eleştirme görevi. Felsefe, nihai açıklamaları ve kalıcı anlamları ararken, yapıcı bir görev üstlenir. Bize dünyayı açıklar ve nasıl yaşamamız gerektiğini söyler. Öte yandan felsefenin, insan düşüncesini çözümlemek ve eleştirmek, "Nereden biliyorsun?" veya "Ne demek istiyorsun?" türünden eleştirel sorular sormak gibi olumsuz bir görevi de vardır. Felsefenin iki farklı dalı olan epistemoloji (bilgi teorisi) ve mantık, bu sorulara cevap vererek gelişmişlerdir. Bu dallar bize önümüzdeki iki kısa ama gerekli bölüm boyunca yol gösterici olacaklar.

"Doğrular yoktur, sadece yorumlar vardır" demişti Nietzsche. Mantığımız bu ifadeyi kabul etmekte zorlanır. Bu ifade doğru mudur? Evet olabilir ama ancak doğrular yoksa. Demek ki, ifade ancak doğru değilse doğrudur. Nietzsche, putları yıkan epistemolojisinden dolayı büyük saygı görür ve modernistler, yapısalcılar, postmodernistler, postyapısalcılar, post-postmodernistler ve hatta otorite fikrine tahammülü olmayan hemen herkes tarafından otorite olarak zikredilir. Nietzsche'nin büyük bir yazar ve deha; uçurumun derinliklerine daldıktan sonra, aklının başında kaldığı o kısa zamanda deneyimlerini kaydetmeyi başarmış sayılı isimlerden biri olduğu şüphe götürmez. Gerçek öğüt zor bulunur, bu yüzden ona minnettar olmalıyız. Ancak dikkati de elden bırakmamak gerek; yazdıkları, bu yoldan gitmememiz konusunda uyarır bizi, bu yolun sonunun deliliğe vardığını söyler.

Bütün söylemler ve diyaloglar doğruluk kavramına dayanır. Birisiyle aynı fikirde olmak, söylediklerinin doğruluğunu kabul etmek demektir; çelişmek ise karşıdakinin söylediğinin doğruluğunu reddetmektir. Gündelik konuşmalarımızda doğruluğu amaçlarız, başkalarının söyledikleri ancak bu amaç kapsamında anlam kazanır. Fransızcayı, sadece Fransızca bilen insanların arasında, genelde doğruları konuştukları varsayımını yapmadan öğrenmeye çalıştığınızı düşünün. Elbette ki, söylediğimiz her şey doğru olmaz, bazen hatalı konuşuruz, bazen doğruyu tamamen söylemez, bazen de düpedüz yalan söyleriz. Ancak doğruluk kavramı ve onun konuşmamızdaki egemen konumu olmadan, ne yalan söyleyebilir ne de hata yapabiliriz.

Doğruluk, rasyonel [akılcı] tartışmada da egemendir. Tarihin başlangıcından beri, insanlar geçerli argümanları geçersiz olanlardan ayırmaya çalıştılar. Dilimizde "eğer" kadar insani ihtiyaçların dokunuşuyla pürüzsüz hale getirilen bir sözcük daha yoktur. Eğer sözcüğü, söylemin ifadeden hipoteze dönüşme yoluna girdiğini ve bir çıkarımın başladığını gösterir: Eğer p ise, q; p değil ise, o halde, q değil. Bu, geçerli bir çıkarım örneğidir, bunu reddetmek için deli olmak gerekir. Ama burada geçerli ile ne kastediliyor? Kastedilen şudur: Geçerli bir argümanda, önermeler doğru ise sonucun yanlış olması imkânsızdır. Geçerlilik, doğruluk cinsinden tanımlanır.

Felsefenin en bilimsel parçası olması gereken mantığın, pek çok yönden hem en tartışmalı, hem de en yavaş değişen kısmı olması gariptir. Aristoteles, geçerli kıyasları özetleyip sınıflamış, doğruluk ve çıkarımın incelikli bir açıklamasını sunmuştu. Modern zamanlara kadar, kimse mantıkta onun başarılarının üstüne bir şey eklemedi. Leibniz önemli bazı gelişmeler kaydettiyse de, 19. yüzyılda felsefeciler arasındaki mantık bilgisi aslında *geriledi.* Aynı yüzyılın en önemli filozofu olan Hegel, *Wissenschaft der Logik** ismi altında, sadece geçersiz argümanlardan oluşan bir kitap yazmıştı ancak yine de; George

* Georg Wilhelm Friedrich Hegel, *Mantık Bilimi*, Çev. Aziz Yardımlı, İdea Yay., 1997. (y.h.n.)

Boole (1815-1864) ve Gottlob Frege (1848-1925) adlı felsefi matematikçilerin çalışmalarına dek mantık konusunda ilerleme kaydedilemedi. Mantık konusunun gelişimi de bilimsel doğasına kanıt olarak gösterilebilir çünkü sanatta, edebiyatta veya dinde ilerleme kaydedilmez.

Frege'ye göre, dilimizin yapısı ve rasyonel argümanlar ancak sözcüklerimizin anlamı ve göndergesi [reference] arasında bir ayrım yaparsak anlaşılabilir hale gelir. Sabah Yıldızı'nın anlamı Akşamyıldızı'ndan farklıdır oysa ikisi de aynı nesneye gönderme yapmaktadırlar. Bir ibarenin anlamı, o ibareden ne anladığımızdır. Gönderge ise ibarenin diğerlerinden ayırdığı nesne veya kavrama işaret eder. Örneğimizde bu; sabahları en erken, geceleri ise en geç ortaya çıkan yıldız olan Venüs gezegenidir. Anlam ve gönderge ayrımı, dilin her alanında geçerliliğini korur. Cümlelerin bir bütün olarak anlam ve göndergeleri olduğu gibi; isim ve tanımların, yüklem ve ilişki belirten terimlerin, edat ve bağlaçların her birinin de farklı anlam ve göndergeleri vardır. Frege, cümlelerde bu ayrımı yapmanın yolunun dil ile doğruluk arasındaki derin ilişkiyi kavramak olduğunu savunuyordu. Her cümleye, doğru ya da yanlış olmasına göre bir doğruluk değeri atadığımız takdirde; nasıl mantık açısından, nesne kelimenin göndergesi ise, cümlenin de doğruluk değerine gönderme yaptığını görürüz. Bir cümleyi anladığımızda, doğru olması durumunda dünyada ne tür bir farklılık yaratacağını biliriz. Başka deyişle; bir cümlenin anlamını, onun doğruluk koşullarının durumu belirler. Doğruluk değeri ve doğruluk koşulları cümle anlamının iki farklı boyutunu oluştururlar.

Doğruluğa yapılan bu vurgu, dilin yapısını anlamak için ipucu sağlar. İki cümleyi "ve" kelimesiyle birleştirdiğimizde, parçalarının ikisi de doğruysa doğru, aksi takdirde yanlış olan yeni bir cümle oluştururuz. Ve kelimesini bu şekilde, doğruluk değerleri cinsinden bir işlem olarak kavrarız. Aynı durum, verilen cümlelerden yeni cümleler oluşturan "veya", "eğer", "değil" kelimeleri için de geçerlidir. Dile bu gözle baktığımızda, onun yapısını anlamaya başlarız. Böylece; sınırlı sayıdaki kelimeler dizisinden, sonsuz sayıda cümlenin kurulabildiğini ve anlaşılabildiğini görürüz. Geçerli argümanları geçersiz olanlardan, düzgün kurulan bileşik cümleleri yanlış kurulanlardan ayırmaya ve dilin farklı kısımlarının işlevlerini anlamaya başlarız. Örneğin, nesnelere gönderme yapan isimlerle, kavramlara gönderme yapan yüklemler ve "bazı", "bütün" gibi kendi başına mantıksal işlevi olan nicelik kelimeleri arasındaki gerçek mantıksal farkları tanımlamaya başlayabiliriz.

Modern mantık, sözdizimi [sentaks] ve anlambilim [semantik] arasındaki ayrıma vurgu yapar. Dil, sınırlı sayıda bir kelime dağarcığı ve hangi kelimeler dizisinin kabul edilebilir, hangilerinin bozuk olduğunu belirleyen sözdizim kurallarına göre kurulur. Ancak bu kurallar anlambilim kuralları olmadan yetersizdir. Anlambilim kuralları, dildeki terimlere değerler atarlar. Diğer bir deyişle; her isme bir nesne, her yükleme bir kavram ya da sınıf, her bağlaca bir işlev vb atarlar. Bir cümleyi oluşturan parçaların değerinden yola çıkarak, o cümlenin değerinin nasıl elde edilebileceğini gösterirler. Anlambilim kuralları ancak Frege'nin taslağını verdiği biçimde, yani cümlelerin doğruluk değerine gönderme yaptığı varsayılırsa inşa edilebilir. Bu varsayım olmadan; sözdizim rastgele, iddialar gereksiz, rasyonel söylem ise açıklanamaz hale gelir. Felsefe; "Neden?" sorusu başta olmak üzere, rasyonel söylemden yola çıktığı için, en azından bir tek çok önemli iddiayı üstlenmiştir: Bu da doğru ile yanlış arasında gerçek bir fark olduğudur.

"Doğruluk nedir? diye sormuştu alaycı Pilate* ve cevabı beklemeden gitmişti." Bacon'un doğruluk üzerine denemesinin ünlü başlangıç cümlesi, bize felsefenin yalnızca dinginlikte doğmadığını hatırlatıyor. Pilate'nin sorusu hâlâ aklımızda. Dil doğruluğu amaçlasa bile hedefine ulaşması mümkün mü acaba? Bunu bilme şansımız var mı? İster istemez, doğruluğu gerçeklikle ilişki olarak düşünüyoruz. Bir inanç, düşünce veya cümle; eğer gerçekliğe uygunsa doğrudur. Ama gerçeklik nedir ve neyin gerçek olduğunu nasıl anlarız? Felsefenin kısır bir döngü içine girmeye eğilimli olduğu noktalardan birisi de budur. Masam da, kahverengi renk de gerçekliğin bir parçası. Peki ya masamın kahverengiliği? Onu gerçekliğin bir parçası yapan nedir? Elbette ki masamın kahverengi olması olgusu. Wittgenstein "Dünya

* İsa'nın çarmıha gerildiği zamandaki Romalı Kudüs valisi. (ç.n.)

nesnelerin değil olguların toplamıdır" diye yazmıştı *(Tractatus Logico-Philosophicus*)*. Arabamın çalışmıyor olmasını doğru yapan şey arabam değil, arabamın çalışmıyor olması olgusudur. Önermeler, olgularla doğrulanırlar; her doğru önerme kendisini doğru yapan olguyu belirler. Doğru önermelerin karşılık geldiği varlıklara ancak gerçekliği olgulara bölerek ulaşabiliriz.

Peki, olgular diyerek tam olarak neyi kastediyoruz ve bir olgu diğerinden nasıl ayrılır? Benim arabamın kırmızı olmasını doğru kılan olgu nedir? Tabii ki, arabamın kırmızı olması. Doğru önermelerin sayısı kadar olgu vardır (ve tam tersi). İyi ama o zaman aralarında ne fark var? "-dır" ile biten bir önerme her ikisini de tanımlıyorsa, niye doğrular ve olgular diye iki ayrı şeyden bahsediyoruz? Niye olguların onları ifade eden doğrulardan bağımsız olarak var olduğunu varsayıyoruz?

Ayrıca, olguları önermelerle tanımlamak zorunda mıyız? Anlatmak istediğimizi işaret etmek gibi, kelimelerimizi dünyaya iliştirme yollarımız yok mu? Arabamın kırmızı olmasını doğru yapan şeyin ne olduğunu, arabamın kırmızılığına işaret ederek gösteremez miyim? Evet ama işaret etmek bir harekettir ve bu hareketin ne anlama geldiğinin doğru anlanması gerekir. Parmağımla arabayı işaret ettiğimi varsayalım. Arkamdaki eve değil de arabama işaret ettiğimi farz etmenize neden olan nedir? Hareketimi farklı okuyup, parmağımdan omzuma doğru işaret ettiğimi de düşünebilirdiniz. Bu sorunun basit cevabı şudur: Bu hareketi bu şekilde okumamızın nedeni, bize yol gösteren bir kural ya da âdetin olmasıdır. Onu bu sayede anlarız. Dahası, kuralımız sadece hareketimin önümde duran *nesneye* işaret ettiğini söyler; sizin dikkatinizi hangi *olguya* çekmek istediğimi seçebilmeniz için ilave kurallara ihtiyaç vardır. İşaret etmek dile aittir ve kesinliği için dile dayanmak zorundadır. Ancak bir hareketi, bir düşüncenin ifadesi olarak okuyabildiğimiz zaman; kelimelerimizi gerçekliğe iliştirmek için kullanabiliriz; ama bu da, "*Hangi* düşünce?" sorusunu ortaya çıkarıyor. Tabii ki, arabamın kırmızı olduğu düşüncesi! Gerçekten de, bundan başka hiçbir düşünce, neyin arabamı kırmızı olmasını doğru

* Ludwig Wittgenstein, *Tractatus Logico-Philosophicus*, Çev. Oruç Aruoba, Metis Yay., 2006.

yaptığına işaret ederken zihnimizden ne geçtiği olgusunu ifade edemez. Ama bu sefer de başladığımız noktaya geri döndük. Bir düşünceden, düşüncenin karşılık geldiği gerçekliğe geçmek için gösterilen bütün çabalar bir daire gibi başladığı yere geri dönüyor. Düşünceden gerçekliğe giden yol aslında bizi düşünceden düşünceye ulaştırıyor.

Bu Hegel'e göre şaşırtıcı değil: Çünkü ona göre varolan tek şey düşünce. Daha doğrusu, tam olarak düşünce değil de, tin (*Geist*), düşünce de onun bilinçli ifadesi. Mutlak idealizm adı verilen bu konumu kabul ettiğimiz zaman, doğruluk ve gerçeklik kavramlarındaki zorluklar ortadan kalkıyor. Bu düşünce biçimine göre dünya; düşüncenin dışında ve onu pasif bir hedef seçen şey, katı bir olgular dizisi değil; kendi iç enerjisiyle gerçek ve nesnel olan düşüncenin kendisi. Bir düşüncenin "doğruluğundan" bahsedeceksek, bunu düşünülmesi mümkün olmayan dışarıdaki bir gerçekliğe uygun olduğu için değil; dünyayı tanımlayan bir düşünceler sistemiyle olan uyumuna işaret ederek yapabiliriz.

Yukarıda taslağını verdiğim, doğruluğun uygunluk ve uyum teorileri arasındaki tartışma, şaşırtıcı bir şekilde, hâlâ devam ediyor. Değişik kelimelerle ifade edilse de, entelektüel yaşamda bu tartışma; onunla meşgul olmayanlar arasında bile (belki de özellikle meşgul olmadıkları için) gerçek bir güç olmayı sürdürüyor. Fransız yazar Michel Foucault; bir düşünceye doğruluğunu, hüküm süren düşünceler sisteminin bahşettiği varsayımını temel alarak tarihi açıklamanın yeni bir yolunu keşfetti. Bir dönemin kavramları, teorileri ve rasyonelliği gücün dikte ettirdikleri idi; onları değerlendirmek için, hâkimiyetlerine meydan okuyacak rakip bir güçten başka bir kriter de bulunamazdı. Foucault *Les Mots et le choses*'da* insanın yeni zamanların bir icadı olduğunu söylediğinde, haklı olarak şaşırırız. Ortaçağlarda insan yok muydu yani? Hayır; Foucault centilmen, serf, yargıç, asker veya tacirin aksine kavram olarak insanın Aydınlanma Dönemi'nden beri kullanıldığına işaret etmektedir. Bundan çıkacak sonuç ise bir kavramın tanımladığı şeyi yarattığı ve 18. yüzyılda ortaya çıkan insan doğası teorilerinin, üzerinde anlaşamadıkları şeyi,

* Michel Foucault, *Kelimeler ve Şeyler*, Çev. Mehmet Ali Kılıçbay, İmge Kitabevi, 1994. (y.h.n.)

yani insan doğasını bizzat ortaya çıkardıklarıydı. O zamana kadar insan doğası diye bir şey yoktu.

Buna benzer tüm fikirler, Wittgenstein'ın deyişiyle; dili, dille dünya arasına sokamayacağımız gözlemine dayanır. Gerçekliği tanımlarken kelimelerden faydalanırsınız yani bir kavramı dünya ile eşleştirdiğinizde aslında bir kavramı başka bir kavramla eşleştirmiş olursunuz. İşaret ettiğiniz nesneyi diğerleri arasından seçerken kavramları kullanırsınız. İşaret etme örneğinin gösterdiği gibi, bu zorunludur. Nesneleri diğerlerinden ayırmazsanız onları anlayamazsınız. Bir şeyi diğerinden ayırmak ise sınıflamaktır, dolayısıyla kavramları kullanmak demektir. Bu kadar basit bir gözlemden, dünyanın sadece düşünce olduğu, kavramların gerisinde gerçeklik olmadığı ya da insanın yakın zamanların icadı olduğu türünden çok önemli sonuçlar çıkar mı? Tabii ki, hayır.

Neden bu idealist sonuçlara varılamayacağının gerekçelerini Kant *Saf Aklın Eleştirisi*'nin birinci bölümünde vermişti. Kant, bütün düşüncemizin bazı temel kavramların veya "kategorilerin" uygulanmasına bağlı olduğunu savunmuştu. Birlik, töz, nicelik, nedensellik gibi bu kavramlar, rastgele sınıflamalar olmayıp düşüncenin temel işlemleriydiler ve ancak bir bağımsız gerçeklik varsayımı yapıldığı takdirde kullanılabilirlerdi. Bu varsayım onların yapısında vardı. Tıpkı ayrımını yaptıkları ve inceledikleri görünüş ve gerçeklik, görünen ve varlık karşıtlıklarındakine benzer varsayımlar gibi. Bu kavramların açıkladıkları dünyanın deneyiminin ötesini amaçlayıp dünyaya yönelmek doğalarında vardı, onları kullanan herkes de bu amacı paylaşmak zorundaydı, bu amacı reddettiğini söyleyen bir idealist bile. Ne demek istediğini açıklamaya çalışan bir idealist de töz, nedensellik, dünya ve özdeşlik gibi kavramları kullanmak zorundaydı; bu kavramlar da onu düşüncesinden bağımsız bir dünyanın var olduğu görüşünü kabul etmeye zorlardı.

O zaman, düşüncemizin dışında bir dünya *var mıdır*? Yoksa sadece kavramlarımız mı öyle olduğunu mu varsayıyor? Kant'ın bu soruya cevabı dahicedir. Düşünebilmek için bu kavramları kullanmak zorunda olduğumuzu savunur Kant. Kavramları kullanabilmek için de kategorileri mevzilendirmek durumundayız. Kategorileri kullanmak için ise, nesnelerin nasıl olduğu ile nasıl göründükleri arasındaki ayrımı yapmak zorundayız. Ancak bu ayrımı yaparsak, nesnel gerçekliğin var olduğunu teslim edip, söylemimizi bu yöne yöneltmiş oluruz. Gerçekliğin varlığını reddetmek bile düşünmektir, yani gerçekliğin varlığını varsaymaktır. Dünyanın varlığını tartışmamıza gerek yoktur; dünyanın varlığı, var olmadığı tartışması da dahil olmak üzere her tartışmada varsayılmaktadır zaten.

Kant, eğer düşüneceksek nasıl düşünmemiz gerektiğini gösteren, yukarıdakine benzer pek çok ispat üretti. Bu tür ispatlar rasyonel çıkarımın *ötesine* giderek neyin varsayıldığını araştırırlar. Kant bu ispatları transendental, felsefesini de transendental idealizm olarak tanımladı. Transendental bir argüman; düşünüyorum, özgür olduğuma inanıyorum, kendimin fikrine sahibim gibi öncüllerden yola çıkar ve sonra şu soruyu sorar: "Böyle bir düşüncenin olabilmesi için, neyin doğru olması gerekir? Eğer ben bu düşünceyi düşünerek varlığımı koruyorsam, başka neyi düşünüyor olmalıyım ve içinde bulunduğum dünya nasıl olmalı?"

Kant'ın çıkarımına başka bir yoldan da yaklaşabiliriz. Foucault'nun insan doğası hakkında vardığı sonuç, iki farklı tür kavramını birbirinden ayırmamasından kaynaklanıyor: Dünyayı *açıklayan* kavramlar ve dünyadaki faaliyetlerimizi odağına alıp ifade eden kavramlar. Balık, birinci türden bir kavramdır, süs eşyası ikinci türden. Dünyayı balık ve balık olmayan olarak ikiye böldüğümüzde, bunu bizim *çıkarlarımızın* bir ifadesi olarak görmeyiz. Neden böyle yaptığımızı bilmesek bile, doğal olarak birlikte olan şeyleri aynı gruba yerleştiriz. Sınıflama, *teori* geliştirmede ilk adımdır. Bu adım balık sınıfını sadece tanımlamakla kalmaz, açıklar da. Kavram, dünyayı *araştırmaktır*. Belirli bir noktada, balık sınıfına koyduğumuz şeylerin bazılarının balık olmadığını, türün diğer üyeleriyle uyuşmadığını da keşfedebiliriz. Örneğin, balinaların memeli olduğu keşfedildiğinde yaşanan tam olarak buydu.

Süs eşyalarının ise sadece bir tek ortak noktası vardır: Onları süs eşyası olarak kullanmamız. Süs eşyalarının sınıfını, onlara olan ilgimiz oluşturur. Kavram ve ilgimiz beraber ortaya çıkıp beraber kaybolur. İnsanların hangi cisimlerin süs eşyası olup, hangilerinin olmadığı konusunda bir ayrım yapmaması durumunda, süs eşyası diye bir şey yoktur. Bu durumda; eğer süs eşyası kavramı yeni bir icat ise, buradan çıkarak süs eşyalarının da yeni bir icat olduğu sonucuna varmamız makul olur. Ama bu tür bir akıl yürütme, balıkların yeni bir icat olduğunu göstermez. Balık ve insan gibi kavramlar gerçekliğe yöneliktir, açıklamaya ve Kant'ın kategorilerine bağlı olan, bilimsel inceleme ile ilgili [forensic] kavramlardır. Uygulanmaları bizim tarafımızdan değil, dünya tarafından belirlenir ve bize bir keşif yolculuğunda yol gösterirler. İnsan, kavramını yeni kullanmaya başlamış olsak da, bu kavram yeni bir icat olamaz. Çünkü bu durumda kavram, kendisinin icadından önce de varolan ve doğası ileride keşfedilecek yasalarla belirlenen bir şeyi tanımlar. Bu tür durumlarda kavram türü değil, tür kavramı yaratır. İnsanlar, balıklar, pireler ve su, John Stuart Mill'in deyimiyle doğal türü oluştururlar.

Felsefe sadece "Neden?" sorusu yüzünden vardır; Neden soruları rasyonel tartışmada ortaya çıkarlar, rasyonel tartışma, dilin varlığını gerektirir; dil, doğruluk kavramı tarafından düzenlenmiştir; doğruluk, düşünce ile gerçeklik arasında kurulan bir ilişkidir ve gerçeklik nesneldir, yani ne kavramlarımız tarafından yaratılmıştır, ne de kavramlar tarafından tanımlanmak zorundadır. Takip ettiğimiz düşünce zinciri bu şekilde. Bu durumda, inançlarımızın *doğru* olduğunu nasıl bilebiliriz? Kant'ın argümanı bazı varsayımların kaçınılmaz olduğunu gösteriyor. Peki, onların doğruluğunu da gösteriyor mu?

3
Şeytan

Pek çok felsefeci göstermediğini düşünüyor. Ekonomide yapılan, pazarda dürüstlük varsayımı gibi; bir varsayım hem kaçınılmaz hem de gerekçesiz olabilir. Belki de aynısı, dünyanın gerçek olduğu yönündeki varsayımımız için de geçerlidir. Descartes'ın şu argümanına bakalım: Varsayalım ki, kötü niyetli bir şeytan benim bütün deneyimlerimi kontrol altında tutuyor ve bütün duyu, algı ve düşüncelerimi yöneterek nesnel bir dünyada yaşadığıma inanmamı sağlıyor. Şeytanın bu aldatmacası o kadar sistematik ki, yarattığı deneyim hiçbir noktada benim ve sizin alışık olduğumuz deneyimlerden ayrışmıyor. Ancak aslında, içinde bulunduğumu sandığım dünya kurmaca ve beni kandırmaktan zevk alan şeytanla birlikte evrende yapayalnızım. Böyle bir olasılık varsa, algıladığım dünyanın gerçekten var olduğundan ve düşündüğüm gibi olduğundan nasıl emin olabilirim?

Bu meşhur argüman; modern felsefenin kuşkucu yolculuğuna çıkmasını sağlamıştı. Argüman, sadece görünenle gerçeklik arasındaki boşluğu göstermekle kalmıyor; aynı zamanda akla gelebilecek tüm yöntemlerin bu boşluğu doldurmada yetersiz kalacağına işaret ediyor. Bu yanıltıcı deneyimin içinde hapsolmuş halde; en iyi bilimsel testleri uyguluyorum, izlenimlerim arasında doğrularla yanlışları birbirinden ayırıyorum, gerçekliğe karşılık gelen teoriler üretiyorum ve Kant'ı okuyarak, dünyanın burada olduğuna ve benim de onun bir parçası olduğuma dair güvenimi tazeliyorum. Bütün bunlar olurken, kendini bir keşif yolculuğuna çıkmış sanan düşüncem; aslında, bir hücrenin duvarına çizilmiş resimleri pencere sanan mahkûmun düşünceleri gibi, sadece kendi etrafında dolanmış. Bana kalırsa iç yaşamımda, o yaşamı yaratan şeytandan başka hiçbir şey yok.

Descartes'ın argümanını kabul eden birisi, son tahlilde, dünyanın bizden saklı, düşüncemizin sınırlarının dışında olduğuna; ancak yine de doğru ve yanlış, gerçek ve hayal ürünü, nesnel ve öznel gibi ayrımların hakiki ve faydalı olduğuna inanabilir. Bunun nedeni, kötü niyetli şeytan hipotezinin, önemli bir anlamda, her şeyi olduğu gibi bırakmasıdır: Bu hipotezin doğru ya da yanlış olması benim deneyimimde hiçbir değişikliğe yol açmaz. Meselenin en alıcı noktası da zaten budur. Kavramlarım, görüneni gerçeklikten ayırma yöntemlerim, eski deneyimlerden yola çıkarak yenileri öngörme olanağını sağlayan bilimsel keşif süreci... Hepsi aynı kalacaktır.

Kuşkuculuğun birçok çağdaş türünde; sınırlı ve kısmi sonuçlara ulaşmak için evrensel argümanlar kullanmakta olduğundan; yukarıda bahsettiğim gözlemin önemi büyüktür. Geçen bölümde üstünde durduğumuz Foucault'nun argümanı da bu duruma bir örnek teşkil ediyor. Uygunluk, karşılık gelme [correspondence] fikrine genel bir saldırıyı kullanarak, insan doğasının sabit bir veri olması gibi dünya hakkındaki bazı tekil inançların yanlış olduğu sonucuna varabileceğini sanıyor. Böylesine genel argümanlar bu tür bir sonuca ulaşamazlar çünkü *fazlasıyla* geneldirler: Kanıtlanmış doğrular ile basit fikirler arasındaki ayrımı yok edemezler. Bu ayrım düşüncemizin içinde yapıldığı için, metafizik bir tasarıma ihtiyaç duymaz. Yapısökümü [deconstruction]; yani dilimizi dilin dışında kullanamayacağımız için kelimelerimizin anlamlarını hiçbir zaman kesin olarak belirleyeceğimiz iddiasında bulunan felsefi moda da bu duruma örnektir. Yapısökümüne göre, anlam diye bir şey yoktur ve bir metne belli bir anlam yakıştırma kararı daima bir ölçüde keyfidir: Anlamı metnin kendisi değil, politika ya da hâkim olan güç dikte eder. Burada da evrensel bir teoriden sınırlı bir sonuca kabul edilemez bir geçiş yapılmaktadır. Evrensel teori doğru olsa bile, yerel düzeye bir etkisi bulunmamaktadır. Yine de anlamlıyla anlamsızı biribirinden ayıran kriterleri kullanmaya devam edebiliriz. Düşünüp konuşmaya devam edeceksek kullanmalıyız da. Ayrıca, bir metnin doğru anlamı ile okurun metinle olan kişisel ilişkisini de birbirinden ayırabiliriz.

Burada önemli olan nokta şudur: Descartes tarafından öne sürülen evrensel argümanlar, dünyayı bilgimizin çok ötesinde bir yere koyduklarından; dünya kavramı da dahil olmak üzere, kavramlarımızın hiçbirine etkileri olmuyor. Eğer Descartes haklıysa; onun dünya dediği şey, *bizim* dünya diye bildiğimiz şey olamaz. Bizim için dünya, *bizim* dünyamızdır: İnsan aklına özgü yöntemler kullanılarak, deneyimle tanımlanır. Sahip olduğumuz yegâne yöntemler bunlar olduğundan, bu yöntemleri reddetmek de boş bir çaba olur. Ayrıca bu ret; görevi görünüm ile gerçeklik, nesnel ile öznel arasındaki ayrımların anlamlı olduğu alanları belirlemek olan felsefenin eleştirel yanına da zarar vermektedir.

Bahsettiğim durum, konu ahlaki düşünce olduğunda çok önemli hale gelmektedir. Çoğu kişi ahlaki yargıların öznel olduğunu, hatta belki de bir toplumun gelenek ve âdetlerine veya bireylerinin isteklerine özgü olduğunu iddia ederler. Ancak böyle bir sonuca ulaşmak için *bütün* yargıların öznel olduğu argümanını öne sürmek çok yanlıştır. Felsefi açıdan önemli olan, ahlaki yargılar ve bilimsel teorileri birbirinden ayrı tutmaktır. Kötü niyetli şeytanın bakış açısı, ahlak ve bilimi aynı sepete koyabilse bile, *bizim* açımızdan bakıldığında bu imkânsızdır. Bizler, bilimsel soruları yanıtlayacak yöntemler gibi, ahlaki soruları da gerekçesiz önyargılara düşmeden cevaplayacak yöntemleri kullanmanın mümkün olup olmadığını bilmek isteriz.

Aynı şey, sanat eserlerinin yorumlanması için de geçerlidir. Yapısökümü bize; anlamın, yorumların bir sonucu olduğunu bu yüzden de nesnel [objective] anlam diye bir şeyin olamayacağını, her yorumun da bir açıdan yanlış olduğunu söyler. Evrensel kuşkuculuğu benimseyen birçok eleştirmen de anlamın bu özelliğine dayanarak; herhangi bir edebiyat eserinin bir diğerinden daha anlamlı olamayacağını iddia eder. Onlara göre; hiçbiri nesnel anlam barındırmadığı için, öğrencilere Donald Duck veya Barbara Cartland yerine Shakespeare okutmanın özel bir gerekçesi olamaz. Bu sonuçlar haliyle yanlıştır. Yorumlarımızın hiçbiri nesnel anlama -metnin Tanrı'nın bakış açısından yorumuna- erişemese de, eğer akla yatkın ve zorlama okumalar, kelimelerin anlamlı ve anlamsız kullanımları, derin ve sığ betimlemeler arasında ayrım yapmazsak hiçbir metni yorumlayamayız. Bu ayrımları yapmak için oluşturulan kriterler bize edebiyat okuması müessesesi tarafından verilir ve "transendental imleyiciye" yani metnin gerisindeki sadece Tanrı'nın bilebileceği anlama erişimimizin olup olmaması bu kriterleri değiştirmez.

Dünyayı şeytandan kurtarabilir miyiz yoksa dünyanın düşüncemizden bağımsız olarak var olduğunu ispat etme umudunu bir kenara mı bırakmalıyız? Bu soruya vereceğimiz cevap felsefeye bakış açımıza göre değişecektir. Felsefi argümanlar ne kadar ileri gidebilir? Felsefe, insani deneyimin dayattığı sınırları aşıp, dünyaya mutlak bir perspektiften bakabilir mi? Düşünce, kendisinin ötesine geçip, "transendental nesne"ye ya da "kendinde şey"e [thing in itself] ışık tutabilir mi? Bunlar Kant'ın müthiş eseri *Saf Aklın Eleştirisi*'nde sorduğu sorulardı. Descartes'ın kötü niyetli şeytan fantezisinde sunulan fikirler, bize bu soruların anlamı hakkında bir fikir veriyor ama; fikrin de ötesinde bir şey var mı? Özetlemek gerekirse: Dünyamızın gerçek olup olmadığı sorusu, gerçek bir soru mudur?

Bu soruya odaklanmadan önce, felsefi doğrunun doğası ve bilimsel doğrudan farkı üzerinde biraz durmalıyız. Doğruları olumsal, yani başka türlü de olabilmesi mümkün olanlar ve zorunlu doğrular şeklinde ikiye ayırıyoruz. Londra'nın İngiltere'nin başkenti olması olumsal olarak doğruyken İngiltere'nin başkentinin bir şehir olması zorunlu olarak doğrudur. Zorunlu doğruluk anlaşılması zor bir fikir olmakla beraber, felsefe için temel bir ilkedir. Gerçekten de, bir anlayışa göre, felsefe, zorunlu doğrularla *uğraşır*. Olumsal doğrular, saf akıl yürütmeyle değil gözlem ve deneyle tesis edilebildikleri için bilimin işi olarak tanımlanır. Ancak felsefenin elinde saf akıl yürütmeden başka bir araç yoktur. Dolayısıyla, tıpkı matematiksel doğrular gibi, felsefenin vardığı sonuçlar da olumsal değil zorunlu doğrular olacaktır. Bu nasıl olabilir? Felsefeciler bu soruya değişik cevaplar vermişlerdir. Bunlardan biri; zorunlu doğruların, bir anlamda düşüncemiz tarafından *yaratıldığını* iddia eder. Örneğin, başkent kelimesini öyle bir biçimde kullanırız ki sadece şehirler başkent olabilir; köyler, evler, ağaçlar, insanlar olamaz. Bu; bir kelimenin kullanımına hâkim olan kural, anlaşmadır. Başka bir kural da olabilirdi; ancak bu kuralı kullanmayı seçtiğimizde "İngiltere'nin başkenti bir şehirdir" önermesinin daima doğru olmalısını kabul etmek zorundayız. Amerikalı felsefeci W. V. Quine zorunlu doğruluğa "anlaşma ile doğruluk" adını vermiştir. Buna benzer başka teoriler de geliştirilmiştir. Örneğin; bazıları, matematiksel doğruları, onları ispat etmeye çalışırken oluşturduğumuzu iddia ederler. Bu iddiaya göre; doğruların zorunluluğu, ispat kurallarından kendi kendilerine çıkmalarından kaynaklanmaktadır ve bağımsız bir gerçekliğe atıfta bulunamaz.

Sanırım, bu tür açıklamaların tartışmalı olduğunu belirtmeye gerek yok. Özellikle de felsefi sonuçları açıklamak için kullanıldıklarında... Kant, analitik ve sentetik doğruları birbirinden ayırmış; analitik doğruları, kelimelerin anlamları itibarıyla doğru olanlar (örneğin, İngiltere'nin başkentinin bir şehir olması), sentetik doğruları da kendinden bağımsız bir gerçeklik sayesinde doğru olanlar olarak tanımlamıştı. Sentetik doğruların hepsinin olumsal olmadıklarını, bazılarının zorunlu olduğunu iddia etmişti. Bize şeylerin nasıl olduğunu söyleyen ancak nasıl olması gerektiğini hiçbir zaman açıklamayan gözlem ve deneyin zorunlu doğrular için dayanak oluşturamayacağını da eklemişti. Zorunlu doğrular, eğer bilinebilirse ancak *a priori* olarak, yani saf akıl yürütmeyle bilinebilirdi. Analitik ve *a priori* doğruların nasıl var olabileceğini anlayabiliyoruz ama sentetik *a priori* doğrular da var olabilir mi? Kant'ın felsefenin temel sorusu buydu. Sadece *a priori* akıl yürütme insan düşüncesinin sınırlarının dışına çıkmayı başarıp, dünyanın gerçek olduğunu ispat edebilirdi.

Şurası kesin ki, ne kadar gözlem ve bilimsel çalışma yaparsak yapalım, bu yolla şeytandan kurtulamayız. Ancak bir *a priori* ve Kant'ın dediği gibi transendental olan bir argüman bunu sağlayabilir. Böyle bir argüman, kuşkuculuğun varsayımlarını inceleyip, kuşkuculuğu çürütenin kendi öncülleri olduğunu göstermelidir. Peki böyle bir argüman var mı?

4
Nesne ve Özne

Descartes'ın şeytan argümanı, modern felsefede çok kullanılan bir yönteme mükemmel bir örnektir: Düşünce deneyi. Bu deneyde, insan düşüncesinin doğasına ve sınırlarına ışık tutmak için belirli bir durum varsayılır. Argümanın özünde, ben ve dış dünya arasında yapılan ayrım vardır. Deneyimlerim, algılarım ve hislerim iç dünyama aittir ve benim için, onları yaratan dış dünyanın işaretleri olduğunu tahmin ederim. Bana ait olduklarına inanırım ve varlıklarından şeytan hipotezi doğru bile olsa, kuşku duymam. Örneğin, var olduğumdan da; şu anda bu algıyı, bu hissi, bu düşünceyi deneyimlediğimden de kuşku duyamam. Bütün dış şeylerin varlığından kuşku duyabilirim ama doğrudan benim olduğunu bildiğim bilincimin şu andaki içeriklerinden kuşku duyamam. Dünya ikiye bölünmüş gibidir: Benliğin kapalı ve aydınlanmış dünyası ve dışarıdaki karanlıklar içindeki keşfedilmeyi bekleyen o ülke.

Bu resmin modern felsefe için merkezî bir rolü olmuştur. Kant'tan sonra ise resim yeni bir dinin ikonu olarak daha modernist bir özellik kazanmıştır. Bu din, Alman klasik felsefesi olarak bilinir ancak Alman romantik felsefesi dense herhalde daha uygun olurdu. Bu dinin kurucusu J. G. Fichte (1762-1814) idi ama hemen ardından gelen takipçileri Schelling ve Hegel çabucak onun rolünü üstlendiler. Günümüz penceresinden bakınca Fichte'nin akıl yürütmeleri çok tuhaf görünüyor ve kolay anlaşılır, şeffaf (şeffaflık dinin düşmanı olduğundan) bir özet vermeye çalışınca kökten biçimde yanlış açıklanıyor. Yine de, çok kabaca da olsa Fichte'nin dediklerine göz atalım.

Felsefe insan bilgisinin, mutlak ve kayıtsız şartsız yegâne ilkesini keşfetmelidir. Yani, bütün bilgilerin temel alabileceği, kendisi ise hiçbir şeyi temel almayan ilke. Mantıkçılar tarafından sunulan zorunlu doğrulardan birisi, özdeşlik yasasıdır: A=A. Ama bu yasada bile varsayılan ve göstermemiz gereken bir şey var, o da A'nın varlığı. A=A önermesinin doğruluğunu ancak A bir düşünce nesnesi olarak "varsayılabilirse" öne sürebilirim. Peki, A'yı varsayarkenki dayanağım nedir? Cevap yok. Eğer düşünce işleminin kendisinde varsayılabilen bir şey bulabilirsek, bilgi iddiamız için kendini doğrulayan bir temele ulaşmış oluruz. Bu mutlak olarak varsayılabilen şey, "ben"dir. Ben, kendi düşüncesinin nesnesi durumuna geldiğinde, varsayılan şey, varsayan ile özdeş olur. Böylelikle ben=ben özdeşliğinde, temele erişmiş oluruz. İşte, başka hiçbir şey varsaymayan bir doğruluk. Benliğin kendini varsayması bilginin doğru ve hakiki temelidir. Bütün bilgi kendimizin bilgisinden başlar; benlik dünyanın merkezidir.

Fichte'nin felsefesindeki garip dolambaç burada başlıyor. Fichte; varsaydığı "ben"in bir bilgi nesnesi olduğunu ve nesnelerin özne olamayacağını savunur. Öznenin kesin bilgisini elde etmek imkânsızdır; ben, kendini özne olarak sadece doğrudan ve anlık olarak bilebilir; yani kavramlar olmadan bilebilir, bu durumda da bilinen şeyin ne olduğu hakkında hiçbir şey söylenemez. Ben'in hakkında özne olarak kesin bilgi sahibi olmak dünyayı gördüğümüz bakış açısının kendisini görmek gibi bir şey olacaktır. Özne aşkındır, dünyanın sınırında gözleyerek durur ancak gözlenemez. Dolayısıyla, kendimin kesin bilgisi olarak elimde olan şey, "ben-olmayan" olarak anlaşılır. Ben, iki yoldan bilinebilir: Doğrudan ve anlık olarak ben ve "kesin" olarak ben-olmayan. Ancak ben-olmayanda olan her şey ben tarafından varsayılır ve kendini bilinir kılmak için özneden nesneye dönüştürülmüş haldedir. Özbilinç hareket eden bir çitle taranmış bir tarla gibidir: Ben-olmayanda olan her şey oraya benden aktarılmıştır. Ancak hem benin hem de ben-olmayanın kökeninde kendini varsayma eylemi olduğundan, çitin her iki tarafındaki şeyler de, son tahlilde bendir. Fakat ben-olmayanda ben pasif, edilgendir. Bu durumdaki, ben-olmayan; mekân, zaman ve nedensellik gibi kavramlar tarafından doğanın düzenini meydana getirecek şekilde düzenlenebilir. Diğer yanda, kavramlar özne olarak bene uygulanamayacağından; o hem aktif hem de özgürdür, yaptığı hiçbir şey başka bir nedenin doğurduğu etki olarak görülemez.

Benden ben-olmayana bu aktarım, aynı zamanda bir yabancılaşmadır ve benin, ben-olmayan tarafından belirlenmesine yol açar. Bu özbelirlenim *(selbstbestimmung)* kendinin bilgisinin, yabancılaşma yoluyla elde ettiği en yüksek biçimidir ve sonunda öznel özgürlüğün nesnel bir gerçeklik haline geldiği yüce bir "kendini gerçekleştirme" eylemine yol açar.

Ben, ben, ben... Burada Fichte'yi *sahte* felsefenin, *hile* yönteminin babası olduğu gerekçesiyle reddeden Schopenhauer'e sempati duyabilirsiniz. Yine de Fichte, Alman felsefesine şu güçlü ve dramatik hikâyeyi miras bırakmıştır: Alanının dışında kalsa da bilginin altında, özgür ve kendini yaratan özne yatar. Öznenin yazgısı, kendini belirleyerek bilmek, böylece de özgürlüğünü nesnel bir dünyada gerçekleştirmektir. Bu büyük serüven ancak öznenin belirlediği ancak kendisinin inkârı, yani tersi olan *nesne* yoluyla mümkün olabilir. Özne ile nesne arasındaki ilişki karşıtlık üzerine kuruludur: Tez, antitezle buluşur ve ikisinin çarpışmasından bir sentez (bilgi) ortaya çıkar. Dışa doğru yapılan her girişim, aynı zamanda benliğin yabancılaşmasıdır; ben, özgürlüğüne ancak uzun ve zahmetli bir kendinden kopma eylemi sonucunda ulaşabilir.

Bu dramatik hikâye, birkaç ufak ayrıntı dışında, Schelling ve Hegel'de de tekrarlanır. Kalıntılarına Schopenhauer, Feuerbach ve Marx'dan geçerek Heidegger'de rastlanabilir. İnandırıcılık konusunda eksik kalan yönlerini çekiciliği ile tamir eden bu hikâyenin büyüleyici tasvirleri, bugün bile kıta felsefesinin diline ve gündemine bulaşmaktadır. Benin, ilkel özneden "gerçekleşen" nesneye doğru giden macerası; felsefenin tekerrür eden temalarından biridir. Bu tema, her şeyden önce, bizlerin içinde yaşadığımız dünyanın egemen yaratıcıları olduğumuzun etkileyici bir kanıtını sunduğu için faydalıdır. Descartes beni bir iç hapishaneye kilitlemişti, Fichte ise bu hapishaneyi öyle konforlu hale getirdi ki, ben daima orada kalıp aslında kendinden daha büyük olmayan dünyada kendi egemenliğinin tadını çıkarmaya karar verdi.

Hegel, Fichte'den kendisine miras kalan felsefeye nesnel idealizm adını verdi. Dünya ben tarafından belirleniyordu, bu yüzden sadece ruhtan oluşuyordu, idealizm ismi buradan geliyordu. Ancak ben, kendini nesnel dünyada gerçekleştirerek, kendi farkındalığının nesnesi haline getirerek kendi bilgisine ulaşıyordu, bu yüzden de nesnel tabiri kullanılıyordu. Bu Descartes'ın şeytanına karşı yeterli bir cevap mıydı? Elbette ki hayır: Nesnel dünya, şeytandan kurtarılmış olmuyordu; sadece hapishanenin duvarına dünyanın resmi yapılıyordu. Fichte'nin dramatik hikâyesinin bütün yöntemi ve lügatı, bizi bilginin başı ve sonu olan bene daha da sıkıca bağlıyor. Bu görüşe göre dünyada benden başka bir şey yok ve benin dışında kalanlara erişmeye çalışmak da içeride kilitli kalmanın dolambaçlı bir yolundan fazlası değil.

Özne ve nesne, öznel ve nesnel, iç ve dış gibi sözcüklerin anlamı açık değil. Bu ifadeler bize bir teoriden çok bir resim sunuyorlar. Ancak bu resim, Descartes'tan beri Batı felsefesine yön vermekte. Bu resme göre zihin, özünde içseldir ve yalnızca kendisi için açıktır. Dışarıdaki koşullarla ilişkisi ise rastlantısaldır. Özne (ya da ben) bu içsel âlemin ayrıcalıklı bir bakışına sahiptir. Kendi zihin durumlarını ânında ve kesin olarak bilebilir. Bedeninin fiziksel durumu ya da bedenen bir parçası olduğu dış dünya hakkında ise böyle ayrıcalıklı bir bakışa sahip değildir. Böylece, başka beden ve zihinler de dahil olmak üzere dış dünya ve içindeki her şeyin varlığından kuşkuya düşebilir. Düşünce ile gerçeklik arasındaki ilişkiyi göz önünde tutarken, baktığı bizim düşüncemiz değil benim düşüncemdir. Belki de başkaları yok, sadece ben varım ve başkası olduğunu düşündüğüm insanlar, duvardaki resimlerden ibaret.

Bu kartezyen resim Batı felsefesine üç yüzyıl boyunca hâkim oldu. Kant da Hegel de bunu çürütmeye çalıştılar ancak ikisi de aynı resmin başka bir uyarlamasını ürettiler. Bu resimde kartezyen benin yerini transendental özne alıyordu. Kartezyen resmin nihai olarak çürütülmesi Wittgenstein ile gerçekleşti. Wittgenstein'ın ölümünden sonra yayımlanan *Philosophische Untersuchungen** kitabında yer alan kişisel dilin imkânsızlığı argümanı, modern felsefenin yönünü değiştirdi. Kartezyen ben, kendini şeytana karşı ünlü "*Cogito ergo sum*"** ile sağlama alıyordu. Fichte'nin beni ise varlığını göstermek için düşünce nesnesini belirleme yolunu ve ben ile ben-olmayan arasındaki ayrımı kullanıyordu. İki durumda da ben düşündüğünde; ben ve ben-olmayan, özne ve nesne, ben ve öteki ifadeleriyle ne kastettiğini bildiğine inanıyordu. Peki ama bu anlamların bilgisi nereden geliyordu? Bu iki ben, kendi varlıklarını kendilerine anlatmak için kişisel bir dil mi icat etmişlerdi? Yoksa kavramlarını başka bir kaynaktan ödünç mü almışlardı?

Wittgenstein, şöyle bir durum hayal eder:

> Herkesin, içinde kendine ait olan bir şey bulunan bir kutusu olduğunu düşünelim; kutunun içindekine de "böcek" diyelim. Kimse, bir başkasının kutusuna bakamıyor, herkes böcekten ne anladığını kendi böceğine bakarak bildiğini söylüyor. Bu durumda, herkesin kutusunda farklı bir şey olması pekâlâ mümkündür. Hatta kutudaki şeyin sürekli değiştiği bile düşünülebilir. Bir de, böcek kelimesinin bu insanların dilinde bir kullanımı olduğunu farz edelim. Bu durumda böcek, bir şeyin ismi olarak kullanılmayacaktır. Kutudaki şeyin bir dil oyununda *herhangi bir şey* olarak bile yeri olamaz çünkü kutu boş da olabilir. Hayır; o kutudaki şeyi, bir denklemdeki terim gibi sadeleştirebiliriz, o şey ne olursa olsun, denklemde kalmaz.

Kartezyen anlayışa göre, zihin ve zihnin özellikleri ona sahip olan kişiye özeldir: Zihninin ve özelliklerinin varlığını ve doğasını ancak o kişi bilebilir. Diğerlerinin bu bilgiyi zihinsel süreçlerin kendisi değil yalnızca sonucu olan sözlerinden ve davranışlarından tahmin etmesi gerekir. Wittgenstein'a göre eğer durum buysa, kamusal dilimizdeki tabirleri kullanarak zihne atıfta bulunamayız, zihni tanımlayamayız. Kutusunda *hiçbir şey* olmasa da, birisi böcek sözcüğünü benim kullandığım gibi kullanabilir. Ama ikimiz de kutusunda bir böcek olduğu,

* Ludwig Wittgenstein, *Felsefi Soruşturmalar*, Çev. Haluk Barışcan, Metis Yay., 2007. (y.h.n.)
** (Lat.) "Düşünüyorum öyleyse varım." (y.h.n.)

onun sahip olduğu şeyin bir böcek olduğu konusunda anlaşmıştık, bu bakımdan ve hatta dilimizde ifade edilen bütün diğer bakımlardan, o da tıpkı benim gibi birisi! O zaman, dilimizle işaret edebileceğimiz bir içsel nesne, bir kartezyen zihinsel süreç olamaz: Söyleyeceğimiz hiçbir şeyde makul bir fark yaratmayacağı için, bu içsel nesne alakasız kalacak ve denklemden her zaman düşecektir.

Yukarıdaki argümana şu cevap verilebilir: Belki de her birimizin, içsel süreçlerini anlattığı ve kamusal dil oyunlarından uzak durabilen bir *kişisel* dili var. Bu kişisel dili sadece onu konuşan anlayabiliyor ve atıfta bulunduğu nesneleri başka kimse bilemiyor. Bu dili konuşan kişi, kendi dilinin kelimelerini daima doğru kullandığına emin; çünkü ne zaman içsel süreç yaşansa, bunu ânında biliyor.

Ama durum bu mu? Diyelim ki şu anda "*groç*" adını verdiği içsel sürecin bu kelimeyi en son kullandığı zamankiyle aynı olduğunu nereden biliyor? Kelimelerini tanımladığı şeylere iliştirmek için hangi kriteri kullanıyordu ya da kullanabilirdi? Bu *groç* dediği şeyin gerçekten de içsel bir süreç olduğunu nasıl bilebilirdi? Belki de bir his (gündelik dilde kullandığımız anlamıyla his) olamaz mıydı? Eğer öyleyse *groç*, içsel bir süreç olamazdı çünkü kamusal dildeki hiçbir kelime (his kelimesi de dahil) böyle bir şeye atıfta bulunamazdı.

Bu argüman, benim bu kitapta ayırabileceğimden çok daha geniş yeri hak ediyor ama bahsettiğim kadarıyla bile, baş döndürücü etkisi anlaşılmış olmalı. Descartes ve Fichte, ikisi de farklı yollarla kesinliğin var olduğu bir nokta bulmak için, sadece ben tarafından bilinebilen içsel dünyamıza çekilmeyi önermişlerdi. İç dünyalarını aydınlatan değerli düşünce yeteneklerini kullanarak kendilerini dış dünyadan kurtarabiliyorlardı. Ancak iç dünyalarından dışarıya açılan kapıyı kapattıklarında düşüncenin değeri de sıfıra iniyordu. Ben, düşünce, özne gibi kelimelerin ne anlama geldiğini bildiklerini sanıyorlardı ama aslında, varsayılması mümkün olmayan şey de tam olarak buydu. İç dünyada her şey karanlıktı. Orada ne olduğunu kim bilebilirdi? Ya da gerçekten orada herhangi bir şey var mıydı? Wittgenstein'ın dediği gibi: Hakkında hiçbir şey söylenemeyen bir şeye hiçbir şey de denilebilir.

Kişisel dilin imkânsızlığı argümanını kabul edersek (ki benim eğilimim bu yönde), ortaya önemli sonuçlar çıkıyor. İlk olarak, artık şeytana karşı bir cevabımız var. Argüman bize, inançlarımızın temellerini aramaktan vazgeçmemizi ve daima neyi, nasıl bilebileceğini soran birinci tekil şahıs bakış açısından uzaklaşmamızı söylüyor. Bizi, durumumuza dışarıdan bakmaya, bu tür felsefi kuşkular duyabiliyorsak, şeylerin nasıl olması gerektiğini sormaya çağırıyor. Şurası kesin ki, "Neden?" ve "Nasıl?" sorularını ancak onları ifade edebileceğimiz bir dilimiz varsa sorabiliriz. Ve de, sadece kişisel şeyler dünyasına işaret eden bir dil olamaz. Kendim için icat ettiğim bir dil de dahil olmak üzere her dil, başkalarının onu öğrenebileceği yapıda olmak zorundadır. Eğer düşünmemiz hakkında düşünebiliyorsak, bunu herkesin anlayabileceği bir söylemle yapmak zorundayız. O zaman da, başkalarına da açık olan bir kamusal alanın parçası olmak zorundayız. Bu kamusal alan, aynı zamanda nesnel alandır. Descartes ve Fichte'nin iç alanının aksine, dış alan göründüğünden farklı olabilir; gerçekliği bizim izlenimlerimizin ötesindedir; doğru önermelerin karşılık bulduğu ve iddialarımızın yöneldiği alandır.

Dahası, birinci tekil şahısın incelenmesinden (dış dünya hakkında düşünmekten vazgeçip, dikkatimi içe yönelterek yaptığım incelemeden) ortaya çıkan kartezyen zihin anlayışını da reddetmek zorundayız. Zihnin, kendini de başkalarının zihnini gördüğü gibi, dışarıdan gördüğü üçüncü şahıs durumunun önceliğini kabul etmeliyiz. Bu üçüncü şahıs bakış açısı bizim için gerekli, o olmadan, zihin, düşünme, duyular gibi kelimelerin neye işaret ettiklerini ne öğrenebilir, ne de öğretebiliriz. Bize pek çok yönden benzer davransalar da hayvanlar için buna benzer kelimeleri kullanamayız. Hayvanlar için ikisi de belirlenip tanımlanana kadar ben-olmayan ile çekişen benlik ya da birinci tekil şahıs* yoktur. Ama zihinleri vardır, öyle değil mi?

Şimdi birileri çıkıp, yine de özne dışında, herkesten saklı olan bir iç dünyanın var olduğunu söyleyebilir. Sadece kendimin bilebileceği, zihinsel hayatımın esası olan o çok önemli "şey". Örneğin acı çekmek, acı çekme davranışı göstermek ile aynı

* Fichte'ye gönderme yapılıyor. (ç.n.)

şey değildir, acı çekmenin o kendine özgü ve berbat hissi -yani *nasıl bir şey olduğu*- acı çekmeden bilinemez.

Ama, bu doğru mu? Hiçbir hastayı yatağında görüp "Şu anda burada acı çekme davranışı gözlüyorum, benden saklı, sadece yataktaki kişinin bilebileceği başka bir şeyin korkunç gerçekliğini gözlüyorum" dediniz mi kendinize? Hayır, tam aksine, hastanın ne kadar korkunç durumda olduğunu *aynen* gördünüz ve görüntüye dayanmakta zorlandınız. Ama yine de, bunun zihinsel durumlarımızın "tamamen öznel" bir yönü *olduğunu* varsayalım. Tamamen bize benzer varlıklardan oluşan bir toplum düşünelim; aramızdaki tek fark, onlarda bu öznel yönün bulunmaması olsun. Dilleri bizimki gibi işlesin, dış görünüşleri ve davranışları da aynı bizimki gibi olsun. Hatta tıpkı bizim gibi konuşsunlar ve yine bizim gibi "Sen o acının nasıl bir şey olduğunu bilmezsin" desinler. Felsefecileri zihin problemi ile, ne olduğuyla, bedenle ne ilişkisi olduğu ile uğraşsınlar, hatta onların da bazıları kartezyen olsun. Bu, anlamsız ve tutarsız bir önerme mi olur? Hayır çünkü içinde bulunduğumuz durumu tanımlar.

Zihni içeri bakarak değil bilişsel ve duyusal davranışı inceleyerek anlayabiliriz. Bu davranışları incelediğimizde, insan ve hayvan davranışları arasındaki müthiş benzerliği görmeden geçemeyiz. Zihinsel hayatın düzeylerini bir aşama sırasına koyarak düzenlersek; bazı yaratıklar düşük düzeyli faaliyetlerde bulunup yüksek düzeyli olanları yapamayacaklardır. Ancak yüksek düzeyli faaliyetleri yapanlar düşük düzeylileri de yapacaktır. Sezgisel olarak, bu düzeyleri şöyle tanımlayabiliriz:

1. Duyusal: Duyu hislerimiz var, şeyleri hissederiz, olanlara cevap veririz, acımızı, kızgınlığımızı dışa vururuz, sıcağı ve soğuğu hissederiz. Yumuşakça gibi bazı hayvanlar belki de sadece bu düzeyde yaşarlar. Yine de, bu bile deneyimlerini ciddiye almamızı gerektirir. İstiridyeyi kabuğundan ayırıp yaralarına limon suyu sıkarken hiç dert etmesek de...
2. Algısal: Cisimleri görerek, duyarak, koklayarak ve dokunarak algılarız. Algı, duyudan daha üst bir düzeydir; dış dünyaya verilen bir cevaptan ibaret değildir, onun bir değerlendirmesini de içerir.

3. İştah uyandıran: İştah ve ihtiyaçlarımız var ve onları gidermek için su, yemek ve cinsel dürtüler gibi gereken çözümü ararız. Bir de kaçındığımız şeyler var. Soğuktan, rahatsızlıktan ve yırtıcı hayvanlardan uzak dururuz. İştah ve ikrah* algı gücü olan bütün organizmalarda gürülebilir: Sümüklüböceklerde, solucanlarda, kuş, arı ve buldoglarda. Ama bunların sadece bazılarında *arzudan* bahsedebiliriz. Arzu, zihinsel faaliyetin daha üst bir aşamasında bulunur; algılanan duruma cevap vermenin yanında, bir de kesin bir inanç gerektirir.
4. Bilişsel: Yüksek düzeyli hayvanların, çevrelerinde ne olup bittiği hakkında düşünceleri olduğunu kabul etmeden, onlarla işe yarar bir bağlantı kurmamız mümkün değildir. Köpek gezdirilmeye çıkacağını düşünür; kedi, tahta perdenin arkasında fare olduğunu düşünür; oğlak, aşacağı engelin arkasında çukur olduğunu düşünür ve ona göre sıçrar. Böyle cümleler kurarak bu hayvanlara inançlar isnat etmekteyim. Başka bir deyişle; hayvanların davranışlarını tarif etmekle kalmıyorum, ayrıca bu davranışları doğru ya da yanlış olarak değerlendiriyorum. İnançları gerçeklik ile karşılaştırıp, bütün insan düşüncesinin temeli olan doğruluk kavramının aynısını hayvanlar için de kullanıyorum. Köpek, kedi ya da oğlak yanılıyor olabilirler. Ayrıca, hayvanların inançları olduğunu söylemek, onların hata yapabileceğini belirtmenin yanı sıra, onların bu hatalardan ders alabileceğini de ima eder.

Öğrenmek, inançlara sahip olmayı ve durumun takdirinin değişmesi sonucunda onlardan vazgeçmeyi içerir. Nesneleri, yerleri ve diğer hayvanları tanımayı; alışılmış şeyleri *beklemeyi*, yeniliklerle *şaşırmayı* içerir. Öğrenen bir hayvan, davranışını çevresindeki değişikliklere göre uyarlar. Tanıma, bekleme ve şaşırma; inanç kavramını beraberinde gelir.

Bundan ötürü; öğrenmeyi, davranışçı psikolojinin ortaya koyduğu koşullandırma bağlamında değerlendirmek yanlış olur. Tekrarlanan uyaran ile öğrenilen cevabın ilişkilendirilmesi

* (Ar.) Tiksinme, kaçınma. (ç.n.)

üzerine kurulan koşullandırma süreci, bilişsel henüz düzeye erişmemiş hayat biçimlerinde görülebilir. Koşullanma süreci davranışta bir değişikliği içerir ama zihinde bir değişikliği içermesi gerekmez. Yüksek düzeyli hayvanların yeni davranış biçimlerini sadece koşullandırma ile değil, çok daha yaratıcı yollarla kazandıkları defalarca gösterilmiştir: Doğru sonuca ulaşacak kısa yolu bulmak, sezgisel bağlar kurmak, şimdiye kadar sadece yürüyerek ulaştığı bir yere yüzerek ulaşmak ya da sadece koku yardımıyla takip ettiği avını görünce tanımak gibi...

Bu tür bilişsel davranışı tanımlarken, doğruluğu sorgulanan önermeye, yani zihinsel durumun *içeriğine* gönderme yapmaktan kaçınamayız. Teriyer, *sıçanın delikte olduğuna* inanır, *deliğin boş olduğunu görünce* şaşırır, *sıçanın ambara doğru koştuğunu* görür ve süreç bu şekilde devam eder. Bütün bu durumlarda kullandığımız ve dilde mantık açısından kavranması en zor ifadelerden olan "-na" ve "-nu" ekleri, zihinsel durumunun içeriğini gösterir. Bu eklerin kullanımına bizi olaylar zorlar ancak bir kere kullanmaya başladığımızda da şeylerin düzeninde bir sınırı aşmış oluruz. Bazen yönelimsel dediğimiz zihinsel durumları hayvanlara da atfetmeye başlarız. Yönelimsel zihin durumları dünya hakkındadırlar ama bir önermeye odaklanmazlar.* Yönelimsellik; zihinsel hayata yeni bir düzey getirmekle kalmaz, aynı zamanda hayvanlara sempati duymamız ve onlar için ahlaki kaygılar beslenmemiz için ilk önemli ve gerçek iddiadır. Yönelimsellik, sadece uyaranlara tepki veren hayvanları, uyarı *düşüncesine* tepki veren hayvanlardan ayırmamızı sağlar. İkinci türden hayvanlar, bizimkine benzer türden zihinlere sahiptir; yani kendine göre bir dünya *görüşü,* değiştirebilecekleri bir gerçeklik değerlendirmesi vardır. Bundan ötürü, yönelimsellik sahibi bir yaratıkla ilişki kurabiliriz, sahip olmayanla ise kuramayız ve kurmayız.

Bu iddia, böceklere verdiğimiz tepki ile yüksek düzey memelilere verdiğimiz tepkinin farklılığını kısmen açıklar. Böcekler şeyleri algılasalar da; algıları, değişen inançlara kaynak oluşturmaz, sadece uyarı ile tepkinin arasındaki bağı kurar. Eğer uyarıcı tekrarlanırsa, sonucu ne olacak olursa olsun, tep-

* Örneğin "Masa beyaz" bir önermedir ama "Masanın beyaz olduğunu görüyorum" yönelmiş bir zihin durumunu, zihnin içeriğini anlatır. (ç.n.)

ki de tekrarlanır. Güve, mum ışığına doğru, aptallıktan ya da kahramanlıktan değil, sadece ışık görünce ona yöneldiği için uçar. Güveler bu deneyimden hiçbir şey öğrenmezler, geçmiş algılarının sonucu bilgi biriktirmezler. Hayatlarını, başladıkları gibi, hiçbir deneyimle farklılaşmadan, bilişsel masumiyet içinde bitirirler.

Buna karşılık; köpekler, kediler ve yüksek memelilerin davranışlarına neden olan bir gerçeklik anlayışları vardır. Algılarından ders çıkarırlar, biz de dünya anlayışımızın bir kısmını onlarla paylaşabiliriz. Hatta, av köpeği ve avcı durumunda olduğu gibi, birlikte iş de yapabiliriz.

Hayvanlarla ilgili biraz konudışına çıkmamız, okura zihnin doğanın bir parçası olarak görüldüğü zaman gizemli olmaktan çıktığını hatırlatmaya yaramış olmalı. Zihni olan ama beni olmayan, kendini keşfetmek için çabalamak gibi bir ihtiyacı da yeteneği de bulunmayan yaratıklar var. Zihin, eğer bu kadar çok masum varlığın sahip olduğu bir şeyse, felsefecilerin çalışmaları sonucunda gizemli hale getirdikleri şey olamaz.

Ancak; bu durumda, bizi diğer hayvanlardan ayıran şey nedir? Ve *biz* kimiz? Bu tür soruları cevaplamanın en iyi yolu yönelimsellik dediğimiz şeyin incelenmesidir. Yönelimsellik sahibi yaratıkların, bir dünya anlayışı ve bu anlayışın dayandığı kavramlarla sınıflamaları vardır. Sadece doğal düzenin bir parçası olmakla kalmazlar. Algıları etkileyen kavramları tarafından yaratılan kendilerine ait birer dünyaları vardır. İnsanların durumunda, bu kavramlar dille ifade edilir ve rasyonel tartışmayla düzenlenir. Hayvanların durumunda böyle bir sakınca yoktur. Onların dünyası tamamen kendi çıkarlarına göre düzenlenmiştir: Yenilir, içilir; tehlikeli, rahat ve güvenilmez şeylerin dünyasıdır. Bu dünyada "eğer" ya da "belki" yoktur, "Neden?", "Ne zaman?", "Nasıl?" yoktur, gözlenmeyen ve gözlenemeyen şeylere yer yoktur. Bütün öğrenme çıkar çerçevesinde gerçekleşir; gerçeklikle görünüm arasındaki uçurum hiçbir zaman, içinden kuşku bulutları yükselecek kadar açılmaz.

Ancak bizim durumumuzda, dünyanın olduğu hali ile bizim onun nasıl olduğunu düşündüğümüz arasındaki fark, kavramlarımız tarafından dayatılır. Duygularımız, algılarımız ve tavırlarımız yönelimselliğe sahiptir: Sınıflandırmalarımızın sonucu olarak oluşur ve düşüncelerimiz tarafından odaklanırlar. Fakat eğer dayandıkları sınıflandırmalar rastgele, çıkara bağlı ya da muğlak olursa düşüncelerimiz onları bozabilir de. Örneğin; kutsal olan şeylere duyduğumuz saygı ve hayranlık, kutsal kavramı terk edilince sürdürülemez hale gelir. Bu noktada, pek çok kişi kutsal kavramını, bilim öncesi dünyayı açıklama yollarından biri olarak görüp reddedecektir. Yönelimsellik, kitabın birinci bölümünde gözden geçirdiğim problemi ortaya çıkarmaktadır: Kendini zayıflatan bilimsel anlayış karşısında insan dünyasının kırılganlığı.

Eleştirel (negatif) kullanımıyla felsefe, bize kavramlarımızın yerli yerinde olup olmadığını söyleyebilir ancak inançlarımızın doğru olup olmadığını söyleyemez. Bir kavramı savunmanın en iyi yolu, doğru ve yanlış kullanımları arasında bir ayrım yapılabileceğini göstermektir. Örnek olarak, Locke'un felsefede merkezî hale getirdiği; nesnelerin renk, koku gibi, şeylerin bize nasıl göründüğü ile yakından ilişkili olmasına rağmen arkada yatan gerçeklikle bağı belirsiz olan "ikincil özelliklerinin" doğası üzerine eski bir tartışmayı ele alalım. Kırmızılığın gerçekte *ne olduğu* sorusunun cevaplanması zordur. Belki de son tahlilde, bu konuda söyleyebileceğimiz tek şey kırmızılığın bir görünme biçimi olduğudur. Yine de, ifade ettiğimiz kavramlarımız tuhaf gözükse de renklerle ilgili inançlarımız doğru olabilir. Doğru ve yanlış renk kararları hakkındaki ayrımlarımızı destekleyebiliriz, bu da renk kavramını savunmamız için yeterli olur.

İnsan dünyasının diğer parçaları da benzer bir yolla savunulup kurtarılabilir. Örneğin, adalet kavramını ele alalım. Marksizm, adaletin burjuva ideolojisinin bir parçası olduğunu, kapitalist ekonomide işlevi olduğu için önemli hale geldiğini söyler. Benzer bir biçimde, Platon'un *Devlet** kitabının başında; sinik Thrasymachus; adaletin, güçlünün çıkarına hizmet etmekten başka bir işe yaramadığını, bu kavramın yegâne işlevinin toplumsal düzendeki geçerli güçleri ve çıkarları tanımlamak olduğunu iddia eder. Bazen, adalet kavramının bu tür teorilerin etkisiyle iyice zayıflayarak bir karar verme aracı olma konu-

* Platon, *Devlet*, Çev. S. Eyüboğlu & M. A. Cimcoz, İş Bankası Kültür Yay., İstanbul, 2016. (y.h.n.)

munu kaybettiği izlenimine kapılabiliriz ancak; bu görünüm aldatıcıdır. Marksist ideoloji teorileri, hiçbir değişiklik sunmaz, inançlarımızı ve onları ifade ettiğimiz kavramlarımızı zayıflatacak hiçbir şey yapmazlar. Adaletin toplumsal düzende kararlılık sağlamak konusunda faydalı olduğunda mutabık olabiliriz. Bu durumda, adalet standartlarının geniş kabul ve kullanım görmesi; toplumsal düzenin istikrarından faydalanacak olan sosyal sınıflara (ki bu sınıfların arasında mülkiyet sahipleri önemli bir yer tutar) çıkar sağlayacaktır. Yine de bu durum, adalet kavramından kuşku duymamıza neden olmaz çünkü adil olan ve adil olmayan davranışlar arasında gerçek bir ayrım yapabiliriz. Felsefeciler, doğru ve yanlış adalet iddiaları arasında bir fark olduğunu göstererek bu kavramı savunabilirler.

Öte yandan, felsefecinin öne sürebileceği bir argüman daha vardır: Adalet kavramının insan yönelimselliği üzerine etkisini tanımlayabilir. İnsan dünyası, adalet kavramını kullanarak düşünen kişiye, bu kavramı kullanmayandan farklı bir yüzünü gösterir. Adil kişi dünyayı; haklar ve yükümlülükler, liyakat, mükafat ve cezanın olduğu bir yer olarak görecek; duygusal hayatı, farklı ve daha sosyal bir yapı kazanacaktır. Kişisel öfke yerine haksızlığa karşı kızgınlık, kıskançlık yerine kabul hisleri duyacaktır. Ben hissi, bilincinde merkezî bir yer tutmaktan çıkarak; onun yerini farklı, daha tarafsız ve daha yüksek bir bakış açısı alacaktır. Bu tarafsız bakış açısını ve ona ait duygu ve düşünceleri tanımlamaya "fenomenoloji" denilebilir. Bu, en azından yanlış kullanılmakta olan bu kavram için iyi bir kullanım olur. Benim tasavvurumda fenomenoloji; amacı dünyayı açıklamak değil, duygularımızı odaklamak olan kavramlar arasındaki *a priori* ilişkileri izlemelidir. Dünyanın bize nasıl göründüğünü tanımlamalı ve görünümlerin neden önemli olduğunu göstermelidir.

Adalet, insanların kullandığı pek çok kavramdan yalnızca biri. Peki neden? İnsan yönelimselliğinde ne var ki, insan dünyası ile hayvanlar dünyası arasında bu kadar büyük fark yaratıyor? Biyoloji bize insanların da hayvan olduğunu söylüyor. Bu havalara girmemizin nedeni ne o zaman?

5
Kişiler

Aslına bakarsanız, havaya girmiyoruz. Günümüzde insan davranışı "demoralize" edildi, destek bulduğu kutsal kaideden aşağı indirilip laboratuvarda inceden inceye araştırıldı. Descartes'ın şeytanını kovan üçüncü şahıs bakış açısı bizden, daha tehlikeli bir şeytana yardımcı olmamızı talep etmektedir. Modern dünyada felsefenin en önemli görevi, insan kişiliğini bilimin indirgemeciliğinden kurtarıp ona yeniden hayat vermek ve bizim sadece hayvanlar olduğumuzu iddia eden alaycılığın yerine, öyle olmadığımızı gören ironiyi koymaktır. Benlikten ve onunla beraber gelen kuruntulardan vazgeçtiğimizde, kendimizi kadim bir tartışmanın ortasında buluruz. Bizi diğer hayvanlardan ayıran şey tam olarak nedir ve bu ayrım, insanlık fikrine ve idealine yaptığımız bunca yatırıma değecek kadar önemli midir?

Platon ve Aristoteles insanları rasyonel, akıllı hayvanlar olarak tanımlamışlardı. Onlara göre aklımız, bizi farklı kılan özelliğimizdi ve bizim zihinsel hayatımızın hayvanlardan tamamen farklı ve yüksek bir düzeyde olduğunu gösteriyordu. Daha sonra gelen Aquinas, Kant ve Hegel gibi filozoflar, doğası gereği akla yatkın olan bu tanımlamayı desteklediler. Ancak bu tanımın anlamını tam olarak ifade etmek o kadar kolay değil. Akıl ve rasyonalitenin pek çok farklı tanımı bulunuyor. Öyle ki, insanla hayvan arasındaki farkı rasyonalite cinsinden tanımlamaya kalkarken, felsefeciler aslında rasyonaliteyi insan ve hayvanların arasındaki fark olarak göstermekteler. En azından *bir* tanımlamaya göre, yüksek düzeyli hayvanların çoğu rasyoneldir. Bu anlayışa göre, hayvanlar da problem çözer, amaca ulaşmak için gereken yolları seçer ve inançlarını duyularından gelen verilere göre değiştirirler.

Yine de bizlerin sahip olduğumuz ve hayvanların sahip olmadığı, zihinsel hayatımıza öneminin ciddi bir bölününü kazandıran bazı yeteneklerimiz var. Hayvanların aksine bizlerin, inanç ve davranışlarımızı savunma ve haklı çıkarma, başkalarıyla rasyonel diyaloğa girme isteğimiz ve becerimiz var. Görünüşe göre her şeyin altında bizi hayvanlardan farklı kılan bu istek ve beceri yatıyor. Zihinsel hayatımızın bir haritasını çıkarıp, bizi yakın akrabamız olan hayvanlardan ayıran özel farkları incelemeye kalktığımızda, karşımıza her seferinde aynı ontolojik ayrımın değişik yüzleri çıkar. Bu, akıl yürüten ve yürütmeyen varlıklar arasındaki ayrımdır. Bizi hayvanlardan ayıran özelliklerin bazıları şunlardır:

1. Köpek, maymun ve ayıların istekleri vardır ancak seçim yapmazlar. Aristoteles bu noktayı ahlak üzerine yazdığı yazılarda vurgular. Bir hayvanı eğitirken onu davranışlarını değiştirmek için ikna etmeyiz, onda yeni istekler yaratırız. Bizler ise, hayvanların aksine, istemediğimizi yapmayı ve istediğimizi yapmamayı seçebiliriz. Bundan ötürü, isteklerimizi bir kenara koyup, beraberce neyin yapılmasının doğru veya en iyi olduğunu oturup tartışabiliriz.
2. Hayvanların inanç ve istekleri şu anda varolan şeyler üzerinedir: Algılanan tehlikeler, şu andaki ihtiyaçlar gibi. Geçmiş ve gelecek üzerine düşünüp sonuçlara ulaşmazlar, uzun vadeli planlar da yapmazlar. Sincaplar kış için yiyecek depolarlar ancak bu konuda onlara içgüdüleri yol gösterir, rasyonel bir plan değil (Başka bir deyişle: Eğer bu bir proje ise, sincabın onu *değiştirme* kapasitesi yoktur, tıpkı bir karıncanın topluluğundan ayrılıp kendi başına yaşayamaması gibi). Hayvanlar geçmişi *hatırlarlar*, bu sayede geçmiş hakkındaki inançlarını akılda tutarlar. Ancak bunlar, bugünü etkileyen geçmiş hakkındadır sadece. Schopenhauer'ın dediği gibi: Hayvanların hafızaları algılarıyla sınırlıdır ve daha önce algıladıkları şeyleri hatırlamalarını sağlar. Sadece

şu andaki deneyimin kendilerine sunduğu şeyleri hatırlarlar, geçmişi okumazlar, bir algı dünyası içinde yaşarlar.

3. Hayvanlar da birbiriyle ilişki kurarlar ancak bizler gibi değil. Kendi bölgelerini belirlemek için hırlarlar ve hile yaparlar; ancak mülkiyet hakkını tanımazlar, egemenlikten anlamazlar, vazgeçebilecekleri görevleri yoktur. Birbirlerini eleştirmezler, pratik akıl yürütmenin alışverişine girişmezler. Bir aslan antilopu öldürdüğünde, diğer antiloplar kurbana haksızlık yapıldığının bilincine varmazlar, intikam almayı düşünmezler. İnsan doğasının bir parçası olan ahlakî* diyalog ve hükümler hayvanların ezici çoğunluğuna, belki de hepsine yabancıdır. Babun ve şempanzeler gibi, bu davranış tarzını gösterdiğini fark ettiğimiz hayvanlara karşı tavrımız haklı nedenlerle temelden değişir.
4. Hayvanların hayal gücü yoktur. Şu anda varolanı düşünebilir ve şu ânın getirdikleri hakkında endişe duyabilirler (Şu çalının arkasında hareket eden ne?). Ama mümkün olanlar ve mümkün olmayanlar hakkında fikir yürütemezler.
5. Hayvanların estetik duygusu yoktur. Dünyadan haz alabilirler; ancak tarafsız, dingin düşüncenin nesnesi olarak değil.
6. Hayvanların tutkuları pek çok bakımdan sınırlıdır. Haksızlığa karşı öfke değil ani bir kızgınlık hissederler, pişmanlık duymazlar, kırbaçtan korkarlar. Erotik aşk ve cinsel istek değil sadece sessiz bir bağlılık ve çiftleşme isteği duyarlar. Duygusal olarak sınırlı olmalarının nedeni entelektüel olarak sınırlı olmaları ile büyük ölçüde açıklanabilir. Yüksek duygulara temel olan düşüncelerden yoksundurlar.
7. Hayvanlar mizahtan ve müzikten anlamazlar. Sırtlanlar gülmez, kuşlar da gerçek anlamda şarkı söylemezler. Sırtlanın gıdaklamasından güldüğünü, ardıçkuşunun ötmesinden şarkı söylediğini çıkaranlar *bizleriz.*
8. Bazı felsefecilere göre, hayvanların bizlerin zihinsel kapasitesine erişemediği bu ve daha başka konulardaki yetersizliklerinin kökeninde; her şeyi açıklayan tek bir neden yatmaktadır: Hayvanların konuşma yeteneği yoktur, bu yüzden ifadesi konuşmaya dayanan düşünce, duygu ve

* Moral. (y.h.n.)

tavırlardan yoksundurlar. Bu görüş, akıl için aynı zamanda konuşma anlamını taşıyan *logos* kelimesini kullanan Aristoteles ile uyumludur. Aristoteles hayvanlar için *alogon* kelimesini kullanmaktadır, bu hem akılsız hem de dilsiz demektir. Hayvanlar, elbette ki bazı sesler çıkarırlar, hatta konuşmaya *benzer* hareketler yaparlar. Ancak bu sesler ve hareketler, dili olağanüstü ve dönüştürücü yapan organizasyon türünden yoksundur.

Mizah yeteneği var gibi gözüken maymunlar, isteklerini birbirlerine iletebilen ve birlikte hareket edebilen yunuslar gibi hayvanların yukarıda bahsedilen konuların birinde bize benzedikleri öne sürüldüğünde; argümanlar, hayvanların genellikle başka açılardan da bize benzediklerini ima eder. Yüksek düzeyli maymunların hem güldüklerini söyleyip, hem de akıl yürütme ve hatta dil (en azından dünyayı sembollerle ifade etme) yetenekleri olduğunu öne sürmemek mümkün gözükmemektedir. Maymunların şöyle ya da böyle olduklarını ya da şu biçimde eğitilebileceklerini öne sürmek ampirik bir sorudur ancak yukarıda bahsettiğim yeteneklerin hepsinin beraberce var olup olamayacaklarını, olamayacaklarsa tek tek örneklerin bulunma olasılığını sormak ise felsefenin alanına girer. Benim, üzerinde düşünerek vardığım görüş, bunların beraberce var olabilecekleri ve ismine kısaca "akıl" dediğimiz, daha yüksek bir bilinç düzeyine ait oldukları yönündedir.

Ancak bilinçlilik denince tam olarak ne anlamalıyız? Pek çok kişiye göre bilinçlilik; zihinsel hayatın özüdür, zihnimizi bu kadar önemli yapan şeydir ve de bilincin yok olacak olması, bizlere hayatın (örneğin bir bitkinin) yok olmasından farklı biçimde üzüntü verir. Descartes hayvanların bilinçli olduğunu reddetmişti çünkü onun için bilinçlilik, tamamen varlığının farkında olan düşünce süreci ile ilişkiliydi. Ama hayvanların bilinçli *oldukları* da kesinlikle apaçıktır. Hayvanların, her zaman değil ama bazen *bilinçsiz* olmaları da bunun bir kanıtıdır. Uyuyan, narkoz etkisinde olan veya baygın bir köpek, tetikte bir şekilde bahçede koşup oynadığı zamanki kadar bilinçli değildir. Bir köpeği bilinçli olarak tanımlamak, çevresinin farkında olduğunu, ona tepki verdiğini, ondan öğrendiğini ve sezişleri olduğunu ifade etmektir. Davranışlar ancak zihinsel faaliyet kullanılarak açıklanabiliyorsa, farkındalık anlamında bir bilinçlilik var demektir. Köpekler, zihinsel yetenekleri çerçevesinde bir tür bilinçliliğe sahiptirler, yani insan veya arıların değil, köpeklerin olabildikleri gibi bilinçlidirler.

İşte bu yüzden, bilinçlilik ile özbilinçlilik arasında bir ayrım yapmaya dikkat etmeliyiz. İnsanlar kendilerinin ve zihinsel durumlarının farkındadırlar; kendilerini diğerlerinden ayırabilirler, kendilerini birinci tekil şahıs olarak tanıyabilirler. Kendilerine bilerek "ben" şeklinde atıfta bulunabilirler, kendi zihinsel durumlarını kendilerine ve başkalarına anlatabilirler. Özbilinç dediğimiz şeyin anlamı işte budur ve zihinsel hayatımızın bu kısımının hayvanlar tarafından paylaşılmadığı görülmektedir.

Bu noktada böyle bir şeyi nasıl bilebildiğimiz sorulabilir. Ben kimim ki, köpeğimin kendisi hakkında bir anlayışı olmadığına karar veriyorum; istekleri, inançları ve iştahı dışında kendisi hakkında bir bilinci olmadığını söylüyorum? Bu sorunun cevabı, başka türlüsünü varsaymanın gereksiz ve abartılı olacağıdır. Köpeğin davranışlarını özbilinç hipotezine ihtiyaç duymadan açıklayabiliyorum, bu durumda bu hipotezi onaylamam için bir neden yok. Hayvanlarda, sadece davranışlarını açıklayan zihinsel yeteneklerin var olduğunu kabul etmeyi makul sayabiliriz. Köpeğin davranışını tanımlamak için, ben ve diğerleri veya *benim* bakış açımdan ve *senin* bakış açından dünya, türünden bilinçli ayrımları zorunlu kılacak bir durum hiçbir zaman ortaya çıkmaz. Daha basit, ben kavramının yerinin olmadığı, inanç ve istek varsayımları her zaman yeterli olur.

Bu noktada durup, bir canlının zihinsel ufkunun dil, yani dünyayı işaretlerle ifade edebilme yeteneği ile nasıl genişlediğine bakmalıyız:

1. Dil; var olmayan, geçmiş ve gelecekteki şeyler hakkında düşüncelerimizi ifade eder. Genellemeler, olasılıklar, imkânlar ve imkânsızlıkları anlatır. Düşünceyi "şimdi ve burada" olmaktan kurtarıp, varolan, mümkün olan ve mümkün olmayan arasında serbestçe gezmesini sağlar. Hayvanlara

inançlar atfederiz; ancak dil olmazsa, bu inançlar algının şimdi ve buradasıyla sınırlanır.

2. Dil, soyut argümanların geliştirilmesini mümkün kılar. Düşünmenin, inanç ve tavırların eleştirilmesinin ve savunulmasının başlıca aracıdır.
3. Bu yüzden dil, diyalog ve sohbet aracılığı ile yeni türden sosyal ilişkiler kurulmasını sağlar. Kişilerin birbirinin davranışlarını eleştirmelerini, birbirlerine gerekçeler sunmalarını, birbirlerini ikna ederek davranışlarının değişmesini mümkün kılar. Böylece gerekçe sunma pratiği doğar, bunun sonuçları da toplumsal ahlak ile örf ve âdetlerin ortaya çıkmasıdır.
4. Dil, bilimsel çıkarımın tohumlarını içinde taşır ve bilginin ufuklarını genişletir. Aynı zamanda *duygusal* ufukları da genişletir. Hayvanların duyguları, tıpkı inançları gibi sadece şu anla sınırlıdır. Bir köpek, sahibinin yokluğunda çok üzülüp perişan olabilir, yüksek düzeyli hayvanların birçoğu da derin duygusal bağlar kurabilirler. Yine de bu hoş duygular tanışıklığa ve günlük alışkanlıklara dayanır. Hiçbir hayvan farazi bir durumdan korkmaz, tanımadığı bir kişiyi kıskanmaz veya ona bağlanmaz. Eşinin geçmişini kıskanmaz, gelecekte yapacaklarından tedirgin olmaz.

Ayrıca, sadece dili kullanma becerisine sahip canlıların dayandıkları düşünceleri biçimlendirebileceği için hayvanların kapasitesinin dışında kalan duygular vardır. Kızgınlık, pişmanlık, şükran, utanç, gurur, onur gibi duygular; gerekçeler sağlayan bir diyaloğa giremeyen yaratıklar için geçerli olamaz. Öfke; adaletsizliğin sonucu olarak ortaya çıkar, adaletsizlik de sadece dil kullanan varlıkların sahip olduğu bir kavramdır. Uzun lafın kısası, ahlaki varlıklar olarak hayatımızın en önemli parçası olan yüksek duygular, sadece sembollerle yaşayıp düşünebilenler için geçerli olan şeylerdir.

Felsefedeki pek çok konu tartışmalıdır. Ancak Hegel'in *Phänomenologie des Geistes** ya da Wittgenstein'ın *Felsefi So-*

* Georg Wilhelm Friedrich Hegel, *Tinin Görüngübilimi*, Çev. Aziz Yardımlı, İdea Yay., 1986. (y.h.n.)

ruşturmalar kitaplarını incelemiş bir felsefecinin, özbilinç ve dilin beraberce ortaya çıktığına ve her ikisinin de sosyal olaylar olduğuna karşı çıkacağını sanmam. Aynı şekilde; zihinsel olanın özünü kişisel, içsel ve diğerlerinden saklı olanda arayan kartezyen projenin başarısızlığa mahkûm olduğu da görülebilir. Dahası, felsefecilerin çoğu, dilin varlığının karmaşık bir sosyal altyapı gerektirdiğini kabul ederler. Hatta, eğer Wittgenstein haklıysa ancak derin bir uzlaşmaya dayalı, paylaşılan bir hayat biçimi bunu sağlayabilir. Hayvanların bu yaşam biçimine fahri üye olarak kabulleri mümkündür. Örnek olarak, doğal masumiyetinden koparılıp, insanların tanımladığı koşullarda insanlarla yarışmak zorunda kalan talihsiz şempanze Washoe'yu* verebiliriz. Ancak kendi başına bırakıldıklarında; hayvanların, dilin gerektirdiği özel sosyal ilişkileri geliştirebildiklerine dair hiçbir kanıt göremiyoruz. Washoe'nun çabaları da bu konuda kuşkucu olanları hiçbir zaman ikna edemedi. Sembolik davranışın en önemli unsurları olan sözdizimsel (sentaktik) kategoriler, mantıksal bağlaçlar, doğrulanmış ve doğrulanmamış cümleler, aktif ve pasif cümleler arasındaki farklar, zamanlar ve kipler ortaya çıkmadı. Bunların yokluğu durumunda, maymunun dil yeteneği kazandığından şüphe etmek için yeterli gerekçe var. *Belki de*, bir yeteneği vardır. Ancak eksik olan parçalar tam da dile sonsuz bir esneklik kazandıran; algının ötesi durumları ifade etmeyi, bir düşünceyi bir diğerinin içine sokmayı, doğrulanmamış düşünce üzerine kafa yormayı, düşünceleri hipotez ve argüman zinciriyle bağlamayı, düşünceleri sınırsızca genişletmeyi sağlayan; yani benim ilgi ve isteklerimden bağımsız olarak kapsamlı bir gerçeklik resminin ortaya çıkmasına imkân veren şeylerdir.

Yukarıda değindiğim durumlar, daha farklı ve anlamlı bir biçimde, insanlar kişilerdir diyerek tanımlanabilirdi. Roma hukukundan türettiğimiz "kişi" kavramı, bütün yasal ve ahlaki düşüncemizin temelinde yatar. Hem Hıristiyan uygarlığının ve onu yöneten ahlakın, hem de Hıristiyanlığı kuşkulu kılan Aydınlanma Dönemi'nin anlamını bu kavram taşır. Bu kavramın

* Washoe; 1965-2007 yılları arasında yaşamış, Amerikan işaret dilini öğrenen ilk deney şempanzesidir. İşaret diline ait yaklaşık 350 kelime öğrenmiş ve bunların bazılarını evlatlık oğlu Loulis'e öğretmeyi başarmıştır. (y.h.n.)

Kant tarafından sosyal hayatın akışından çıkarılıp metafizik düzeyinde ustaca kullanılmış olması, insani ilişkilerin aracısı olarak bu kavramın günlük kullanımından vazgeçmemizi gerektirmiyor. Birbirimizle ilişkilerimiz, hayvani değil kişiseldir, haklarımız ve görevlerimiz sadece kişilere özgü şeylerdir.

İnsanlar sosyal hayvanlardır ama sosyallikleri köpek, at ve koyunlarınkinden farklıdır. Amaçları, planları, düzenleri vardır; kendilerini, dışarıdaki dünyayla kendine özgü ilişkileri olan bireyler olarak görürler. Özgürdürler ya da öyle olduklarını düşünürler. Seçimleri, uzun ve kısa vadeli çıkarları göz önüne alan rasyonel karar verme süreçleri sonucunda oluşur. Diğer hayvanlar da onları diğerlerinden farklı kılan düşünceleri, istekleri ve karakterleri olan bireylerdir ancak insanlar daha farklı ve güçlü bir anlamda bireydirler: İnsanlar kendilerini yaratan varlıklardır. Ne olduklarını ve ne olmaları gerektiğinin anlayışı ile ve özgürce seçtikleri tasarılarla kendilerini *gerçekleştirirler.*

Bunun yanında insanlar, toplum içinde yaşarlar. Kendi kişisel tutku ve amaçlarını gerçekleştirmeyi mümkün kılmanın yanı sıra, bunları ifade etmek ve tasarlamak için gerekli olan dil için topluma ihtiyaç duyarlar. Burada, hayvanlar âleminde olmayan, kalıcı bir çelişki ihtimali ortaya çıkar. İnsanlar başkalarına ihtiyaç duyarlar, aynı zamanda onlardan bağımsız ve özgür olmak isterler. Özgürlük çelişki demektir, toplum bu çelişkinin barışçı yollarla çözümlenmesini gerektirir. Buradan da bütün başarılı insan toplumlarının temelini oluşturan müzakereler, uzlaşmalar ve anlaşmalar çıkar.

Kişi kavramı bu biçimde görülmelidir. Kişi, üyelerinin bireysel hayatlarını yaşayabilecekleri, özgür bir toplumun olası bir üyesine işaret eder. Kişiler, müzakerelerle yaşar ve projelerinin gerektirdiği alanı rasyonel diyalog ile yaratırlar. Böyle bir diyalog ancak belli varsayımlarla ilerleyebilir, bu varsayımlar da bize kişlerin gerçekte ne olduklarını gösterir:

1. Diyalogda, iki taraf da rasyonel olmalıdır. Davranışları için gerekçeler sunup, karşı tarafınkileri anlayabilmeli, iyi ve kötü gerekçeleri, geçerli ve geçersiz argümanları, gerekçe ile bahane farkını ayırabilmelidirler.

2. İki taraf da özgür olmalıdır. Seçimler yapabilmeli, amaçlarını gerçekleştirmek için buna yönelik hareket edebilmeli, sonucun sorumluluğunu da üzerlerine alabilmelidir.
3. İki taraf da diğerinin rızasını istemeli ve bunu elde edebilmek için tavizler vermeye hazır olmalıdır.
4. İki taraf da kendi varlıklarını ilgilendiren konularda, serbestçe seçme yetkisine sahip ve egemen sayılmalıdır. Hayatı ve güvenliği dokunulmaz sayılmalıdır, bunların tehdit edilme durumu ise diyalogdan savaşa geçiş demektir.
5. İki taraf da yükümlülüklerini anlamalı ve kabul etmelidir. Örneğin, varılan bir anlaşmaya saygı göstermelidir.

Bu varsayımlar, "İnsan toplumları; hakları, sorumlulukları ve görevleri olan ve diğerleriyle anlaşarak yaşamaya çalışan kişilerden oluşur" şeklinde de ifade edilebilir. Karşımızdakinin haklarını tanımadığımız durumlarda onunla ilişkimiz husumet ve savaş ilişkisine döner. Yükümlülüklerimizi tanımazsak, toplumun dışında var oluruz ve onun korumasına da güvenemeyiz. Bütün müzakerelerde; sonuç karşı taraf tarafından da kabul görecekse, sonucun iki taraf için de bağlayıcı olduğunu ve karşı tarafın özgürlüğünü, egemenliğini ve rasyonelliğini kabul etmek mecburiyetindeyiz. Bütün bunlar Kant'ın kategorik imperatifinde*derli toplu biçimde özetlenmiştir. Kategorik imperatifin ikinci formülasyonuna göre insanlara daima amaç olarak davranmalıyız, asla araç olarak değil. Başka bir deyişle, insanların özgürlükleri ve haklarına saygı duymalı, her anlaşmazlık durumunda karşı tarafın mutabakatını sağlamaya çalışmalıyız. Kant'ın ahlak yasasının tam da rasyonel varlıkların anlaşmalarla bir arada yaşamaları durumunda kabul edecekleri kurallara dayandığını görebiliriz. Bu kurallar ahlaki düşüncenin yasa benzeri kısmını oluşturur ve hak, yükümlülük ve kişilik kavramları bu kurallar sayesinde anlam kazanır. Tıpkı futbolda gol, faul ve oyuncu kavramlarının futbolun kuralları sayesinde anlam kazanması gibi.

Ahlak sorularına ilerideki bölümlerde döneceğim. Bu sorulardan önce, biraz tatsız bir problemle yüzleşmemiz gerekiyor.

---

* Koşulsuz buyruk. (y.h.n.)

Öyle gözüküyor ki ben hem bir hayvanım, hem de bir kişi. Dahası, ben bugün, dün olduğum hayvanla da kişiyle de aynıyım ama bu iki kimlik birbirinden ayrılıp uzaklaşamaz mı? Bir ve aynı olan kişi, bir bedenden diğerine göç edemez mi? Ve bir ve aynı beden başka bir kişide vücut bulamaz mı? Bu, "kişisel kimlik" probleminin kabaca ifadesidir. Felsefeciler, bu problemi ilk olarak modern biçimiyle ortaya koyan Aquinas'dan beri hiçbir çözüme yaklaşamadılar. Sorunun modern anlamı, antik zamanlardaki bir soruyla benzeşiyor: Ölünce bize ne oluyor? Ölümün hayvan tarafımızın sonu olduğunu kabul edersek, bu aynı zamanda içinde yaşayan kişinin de mi sonu demek oluyor?

Bu soruları şu şekilde ele almamız gerektiğine inanıyorum; kimlik hakkındaki sorular iki türe ayrılabilir: Gerçek olanlar ve anlaşmayla çözülenler. Bu atın, dün ahırda gördüğüm George olup olmadığı sorusu gerçek bir sorudur: Benim ya da hepimizin onun aynı at olduğuna ve ona George dememiz gerektiğine *karar vermemiz* söz konusu değildir. Çünkü atın kimliğini kendi doğası belirler. Bir ve aynı at olması doğa yasaları sonucu oluşan süreçlerin sonucudur, bu süreçler *bizden* bağımsızdır. Bu tür durumlarda kimlik konusunda yanılabiliriz, yanılgının sonuçları felaket de olabilir. Başka bir atı George sanıp, George'un da binilmesi kolay bir at olduğu söylenen birisi, diğer ata binerse, başına ciddi bir iş açılabilir. Öte yandan, biraz önce tamir ettiğim şu tahta perdenin dün burada duranla aynı olup olmadığı sorusu, gerçek bir soru değildir. Bunu istediğim gibi cevaplayabilirim. Eğer varacağım sonuç başkalarını etkileyecekse (yasal mülkiyet ya da ev sahibi ve kiracının sorumlulukları gibi) bir araya gelip soruyu anlaşmayla cevaplayabiliriz. Kimlik üzerine ortaya çıkan pek çok muamma, soruyu anlaşmayla çözersek, bunun önemli olup olmayacağına karar veremememizden ötürü ortaya çıkmaktadır. Örneğin: Hamlet'in Quarto derlemesindeki versiyonu, Folio versiyonuyla aynı oyun mudur? Yıllar içinde bütün parçaları değişmiş olan araba, ilk yapıldığı zamankiyle aynı araba mıdır?

En azından bir felsefeci (Derek Parfit) insanlar için kişisel kimlik probleminin gerçek değil, anlaşmadan doğduğunu iddia etmiştir. Problemi nasıl çözdüğümüzün önemli olmadığını çünkü bizi ilgilendirenin *kimlik* değil, başka kişilerle ve geçmiş ile gelecek benlerimiz ile kurduğumuz ilişkiler olduğunu savunmuştur. Bu yaklaşım bana çok yanlış gözüküyor. Kişi kavramı, bizler birbirimizle kişiler olarak ilişki kurduğumuz için ve ben ile ötekinin bireyselliği, müzakerelerimizde kutsal olduğu için var olmaktadır. Kişilerarası ilişkiler, bireylerin sahip olabilecekleri haklar ve yükümlülüklere dayanır ve zamana yayılır. Eğer bir kişiyi değişik zamanlarda bir ve tek kişi olarak göremeseydik, o kişiye haklar ve görevler atfetme uygulamamız çökerdi. O kişiyi övmek ya da kusurlu bulmak, ahlaki duygular ve ahlaki diyalog için hiçbir temel kalmazdı. Kişisel kimliği sabit bir gerçeklik olarak ortaya koyan sevgi, öfke, hayranlık, kıskançlık ve pişmanlık gibi duygularla beraber yeryüzündeki hayatın amacı da yok olur giderdi.

Ancak gerçek kimlik soruları diğer bütün gerçek soruların çözümlenme yoluyla, yani üçüncü şahıs bakış açısıyla çözümlenmelidir. Bu soruları kendi içinize bakarak, bütün ilişkilerde bir ve aynı kalan ve kendini sadece kendine gösteren beni arayarak çözemezsiniz. Çünkü bu Fichte'ci benin, bir andan diğer âna değiştiğini tahayyül etmek mümkündür. Şu anda bir ben, birazdan bir başka ben olabilir, bunların hiçbirinin bir diğerinden daha üstün olduğuna kimse (kendi de dahil) karar veremez. Şu anda tanımladığınız bir beni başka bir anda aynı ya da farklı bir ben olarak görmenin makul bir farkı olamaz. Kimlik kavramı böyle bir şeye uygulandığında, anlamını kaybeder.

Bu kavramın anlamı, kişisel ilişkilerimizi düzenlemektedir. Başkalarıyla ilişkilerimizde birbirimizi, bireylerin eşsiz ve yeri doldurulamaz olarak görüldüğü, sadece kendisine ait hak ve görevlerin taşıyıcısı olduğu, daha yüksek bir âleme çıkarırız. Karşımızdakine yönelttiğimiz sevgi ve kararlarımızla onu diğerlerinden ayırır, sadece ona odaklanırız. Kişisel kimlik kriterini belirleyen şey; anlaşma değil, zorunluluktur. Bir kişinin kimliğini, ona haklar ve sorumluluklar yüklediğimiz işlemlerin aynılarıyla belirleriz: Bunu kim yaptı, şuna kim niyetlendi, bundan kim sorumlu, şuna kim izin verdi gibi sorular sorarak. Bunlar akıl yürüten, düşünen varlıklar hakkında sorulan sorulardır ve sadece kişinin bedensel hayatını izleyerek değil, kişinin hatıralarına, amaçlarına ve girişimlerine de başvurarak çözümlenebilir. Şeylerin doğasında, hayvani varlığımızla kişisel kimliğimizin birbirinden ayrılıp uzaklaşmasını engelleyecek bir şey yoktur. Ama bu sıkça meydana gelen bir şey olsaydı, insan hayatı hakkında farklı bir anlayışımızın olması gerekecekti.

Birinci tekil şahıs bakış açısı, garip ve idaresi zor düşünceleri besleyerek işleri karmaşıklaştırmaktadır. Kendi kimliğimi zaman içinde göz önüne alırken, ben her zaman merkezdedir. *Ben* ne yapacağım? *Ben* ne hissedeceğim veya düşüneceğim? Ancak bu ben ölümden sonrasına da yansıtılabilir. Bedenimin katı ve ölü olarak durduğu durumda ne düşünüp, ne hissedeceğimi merak edebilirim. Gerçekten de, bedenimin ölümünü ve çürümesini tahayyül etmekte zorlanmasam da, kendi yok oluşumu hayal etmek bana zor gelir. Benim bakış açımın var olmadığını düşündüğüm bir dünya hakkında düşünmekte zorlanırım. Bu da, benim insani hayatımın yok olduğu bir dünyada da olsa, kendi varlığım hakkında düşünmek demektir.

Bu tür zor ve karmaşık düşüncelerin gerçek bir itibarı yoktur. Elbette ki, benin yok olduğu bir dünyayı kendi perspektifimden bakarak düşünemem ama dünyaya kendi perspektifimden bakmak zorunda değilim. Hem, bu ben nedir? Dünyanın neresindedir? Hatta dünyanın *içinde* midir? Kuşkusuz ki ben, retinamızın görsel alanımızın içinde olduğundan daha fazla dünyanın içinde değildir. Ben dünyaya bakış noktamdır ama dünyanın içindeki bir parça değildir.

Wittgenstein *Tractatus Logico-Philosophicus*'da ölümün hayatın bir parçası değil, sınırı olduğunu savunmuştur. Bununla, ölümü yaşayıp diğer tarafa çıkmadığımızı söylemek istemiştir. Ölüm, hayatın *içindeki* bir deneyim değildir. Ölüme sonradan, yeni bir perspektiften bakmak diye bir şey yoktur. Bu düşünceler kaygılarımızı teskin etmiyor ama zaten bizi kaygılandıran şey ölüm değil, sonluluk. Nihai olarak var olmama ihtimalimiz, sadece sonlu bir zaman boyunca var olma düşüncesi bizi tedirgin ediyor. Schopenhauer "İnsan binlerce yıllık yokluktan sonra birdenbire kendini var olmuş buluyor ve şaşırıyor, bir süre yaşıyor ve sonra aynı uzun süre boyunca var olmama zamanı geliyor. Kalbimiz buna isyan eder ve bunun doğru olamayacağını hisseder. En kaba zekâ bile, böyle bir konuda akıl yürütürken, zamanın doğasının bizim zihnimizin bir parçası olduğu önsezisine kapılır" diye yazmıştı. Geleneksel din, bizi sonsuz hayat düşüncesi ile avutur. Schopenhauer başka bir çözüm önermektedir: Sonsuz süre boyunca daimi olmak yerine hiç daimi olmamak. Çünkü zaman gerçek değildir, bize bağlıdır.

Schopenhauer bizi tedirgin eden şeyin ölüm değil, zaman olduğu düşüncesinde haklıdır. Bütün canlılar zamanda yaşarlar ancak özbilince sahip canlılar kendilerini zamanda bir yere yerleştirerek, geçmişlerini ve geleceklerini şu âna bağlarlar ve zamanı ben fikrinin yapısına yerleştirirler. Böyle yaparak, içeri davet ettikleri hain misafirin kısmen farkına varırlar ve onu kovup başka bir dünyada, zamanın hâkim olmadığı, benin özgür olacağı bir dünyada yaşamayı özlerler. Bu düşünceler saçma mı?

6
Zaman

Evet, muhtemelen saçma. Ancak zamanın ve onun içinde olma deneyiminin anlaşılmaz bir yanı var; insanlar, bu konuyu ele almayan herhangi bir felsefeyi eksik olarak görüyorlar. Aristoteles, "Zamanın bir parçası geçti ve artık yok, diğer parça ise ilerde olacak ve henüz yok. Ama zaman -hem sonsuz zaman hem de geçirdiğimiz zaman- bunlardan oluşuyor. Bu durumda, olmayanlardan oluşan bir şeyin gerçeklikten bir pay almadığını varsaymak makul gözüküyor" der. Başka biçimde söylersek, zamandan bütün olmayan anları çıkarırsanız elinizde sadece şimdi kalır, hatta o da kalmaz, kaldığı anda elinizden kayar gider. Pek çok felsefeci zaman için şimdi düşüncesinin zorunlu olduğu ancak bu durumun zamanın gerçekliği hakkında kuşku uyandırdığı fikrini kabul ederek Aristoteles'i takip etmiştir. Zaman, dünyayı geçmiş, şimdi ve gelecek diye sıralar ancak bunların her biri kendine göre gerçekdışıdır. İdealist felsefeci J. M. McTaggart daha ileri giderek, zamanda sıralamanın da mümkün olmadığını çünkü içindeki her ânın aynı zamanda geçmiş, şimdi ve gelecek olması gerektiğini ve bu özelliklerin birbiriyle çeliştiğini iddia etmiştir.

McTaggart'ın bu argümanı sunma biçimi aslında daha inceliklidir ancak sanırım işin özü açık: Zaman, şimdi olmadan anlaşılamaz, şimdi ise çelişkilidir. Buna cevap olarak, şimdi olmanın bir olayın özelliği olmadığı, kendi içinde bakıldığında dünyada şimdinin olmadığı, geçmiş, şimdi ve geleceğin olmadığı, sadece önce ve sonranın olduğu söylenebilir. Olaylar zaman içinde birbiriyle bağıntılı olarak sıralanabilir ancak hiçbir an şimdi kadar öncelikli değildir. Bu görüşe göre şimdi, bu ya da ben gibidir: Dünyanın bir özelliğini değil, anlatıcının bakış noktasını gösterir.

Ancak bizi ilgilendiren tam da anlatıcının durumu. Eğer zamanın içinde olan varlıklar zamanın akışının bilincinde olmasalardı, zaman diye bir sorun olmayacaktı. Anlatıcıları zaman hakkında düşünmeye zorlayan bir şey var ancak şimdi ve sonra ifadeleri; bunu ifade etmede basit kelimeler olmanın ötesine gidemiyorlar. Evet, bazıları zamanı tanımlamak için, hiçbir noktasında bir daha bulunamayacağın bir zaman nehrinden ya da hiçbir yerden gelmeyen, hedefi de olmayan bir zaman okundan bahsediyorlar. Fakat bu metaforlar, ayrıntılı bir incelemede yetersiz kalıyor. "Zaman, durmaksızın akan ve çocuklarını uzaklara götüren bir nehir gibi"* diye şarkılar söyleyerek kendini iyi hissedenler olabilir belki. Ancak böyle hissetmek için zamanı mekânsal bir süreç olarak düşünmek gerekir ve bu da saçmadır; çünkü süreçler tanım gereği zaman içinde gerçekleşir, içinde süreçler barındıran bir şeyin kendisi bir süreç olamaz.

Zamanı mekân cinsinden düşünmenin çekici bir yanı var. Modern fizik, "uzay-zaman"ı tanımlamak için dörtboyutlu, tek bir geometri kullanır; dördüncü boyut zamandır. Ancak fizik, şimdiden değil, sadece önce ve sonranın düzeninden bahseder; bu yüzden geometrik yaklaşım, bizi en çok rahatsız eden konularla ilgilenmez. Herhangi bir felsefi bakış açısına göre zaman, mekândan çok farklıdır. Birincisi, zamanın yönü vardır: Daima geçmişten geleceğe doğru hareket eder, hiçbir zaman gelecekten geçmişe doğru gitmez. Bu durum oldukça açık gibi gözükse de ayrıntıları incelemeye kalktığımızda işler karışıyor. Augustinus'un ünlü sözünde olduğu gibi: "Öyle ise nedir zaman? Bana kimse sormazsa, biliyorum. Birisi ne olduğunu açıklamamı isterse, bilmiyorum." Augustinus'un karasızlığının nedenini kısmen biliyoruz. Zamanın değil, zamandaki nesnelerin bir yönü var. Hiçbir nesne zamanda geri gitmiyor. Hiçbir şey olduğundan

---

* Isaac Watts'ın *Our God, Our Help in Ages Past* ilahisine gönderme yapılıyor. (y.h.n.)

daha eskiye dönmüyor. Bu söylediklerimiz laf kalabalığı* gibi gözüküyor. İyi ama o zaman neden böyle gizemli?

İkincisi; zamanda, mekânın içinde hareket ettiğiniz gibi hareket edemezsiniz. Zaman sizi sürükler. Geleceğe komşunuzun iki katı hızla gidemezsiniz, ağırdan alıp oyalanamazsınız. Zamanın düzeni, sizi her an, içinde bulunduğunuz anda olmaya mecbur tutar.

Üçüncüsü, zamanın içindeki her şey, var olduğu andaki zamanı meşgul eder. Siz, zaman boyutunun bir kısmının tamamını işgal ediyorsunuz. Sizinle aynı zamanda varolan herkes gibi. Zamanda, belirli bir yer kapmak için yer değiştiremezsiniz, sırayı bozamazsınız. Zamandaki hiçbir şey bir diğerini dışlamaz. Zamanda "doldurulacak yerler" yoktur. Dolayısıyla, mekânda bir yerden bahsettiğimiz şekilde zamanda bir yerden bahsedemeyiz. Mekânların aksine zamanlarda sahip olmak için mücadele edeceğimiz yerler, talep edeceğimiz mülkler yoktur. Zamanlar her şeyi kapsar ve kaçınılmazdır.

"Şimdi" fikrinin yarattığı zorluklar, bazı filozofların yaşanan zamanla fiziksel zamanın aynı şey olduğundan kuşkuya düşmesine neden oldu. Bergson *Essai sur le donnes immediates de la conscience*'de [Bilincin anlık verileri üzerine deneme] *le temps* [zaman] ile *la duree* [süre] ayrımını yapmıştı. Fizik, zamanı inceleyebilirdi ancak süreyi bilemezdi, sürenin doğası ancak yaşam sürecinde yani birbirini izleyen olayları *yaşayarak* kendini belli ederdi. Olayları yaşarken onların içsel düzeni hakkında bilgi edinirdim, bir şeyin büyüyüp içinden çıktığı şeyin yerini almasının nasıl olduğunu görüp, bu bilgiyi hafızamda saklardım. Hatırlanan düzen, aynı zamanda zamanın düzenli akışının olayların öznel önemine göre "koyulaştığı" anlamların da düzenidir.

Bergson'un şimdi üzerine olan derin düşünceleri, Proust'un 20. yüzyılın en büyük romanlarından birini yazması konusunda esinlenmesini sağladı. Yaşanan zaman gözleniyordu, zaman şimdinin kapısından geçip hafızanın mezarına giriyordu. Fakat bu açıklama da Bergson'unki kadar yanıltıcı. Şimdiden geçen, zaman değil olanlar: Olanlar da şimdi de, sonra da olsa, önce

* Totoloji. (y.h.n.)

ve sonra biçimindeki düzenlerini koruyorlar. O zaman neden zamana değil, bizim bakış açımıza ait olan şimdiden vazgeçip; fiziksel zamanı gerçekte olduğu gibi önce ve sonranın dizisi olarak görmüyoruz?

Durumu bu kadar basitleştiren bir çözüm bizi ikna etmiyor. Zaman problemi, son tahlilde, bizim zamanda *olmamızdan* kaynaklanıyor: Schopenhauer'ın bahsettiği şaşkınlık; bildiğimiz ve sevdiğimiz şeylerle ilişkimizin zamanın içinde olmasından, onlarla şimdi ve sonranın düzeni içinde kilitli kalmamızdan kaynaklanıyor. Her ânımızda, durum tam da Aristoteles'in bahsettiği gibi: Sevdiğimiz, korktuğumuz ya da bizim için önemli olabilecek her şey, ya sonsuza kadar yok olmuş durumda ya da henüz olmadı. Ortada sadece şimdiki ânın sonsuz küçüklükteki parçası var, o da uzanıp tutmaya çalıştığımızda kaybolup gidiyor.

Platon, zamanı "sonsuzluğun hareketli görüntüsü" olarak tanımlamıştı. Zamanın gerçekliğini reddetmemiş ancak daha gerçek olan ve altında dönen gezegenlere gölgesi düşen zaman dışı bir diyarın varlığına inanmıştı. Bu fikir felsefe tarihinde o kadar çok tekrarlanır ki, ya doğru olmalı ya da buna inanmak için hiç bitmeyen bir ihtiyaç duyuluyor. Felsefe din değildir, her bilgi alanı hakkında olduğu gibi din hakkında da hükümler verir. Antik zamanlarda filozoflar bilgelik sahibi kişiler olarak saygı görürlerdi ancak; teselli etmeyen bilgeliğin hiçbir değeri yoktur. Platon'un daha üst, zaman dışı diyarı, o kadar çok sıkıntılı insanın zor zamanlarında imdadına yetişti ki, artık bu düşünceyi onaylamasak da ciddi oranda saygı göstermek durumundayız. Bu düşünceler, Romalı Stoacılığa Cicero, Hıristiyan inancına Augustinus ve pagan inanışlarına Plotinus tarafından uyarlandı. Romalı filozof Boethius (İS 480-524) hücresinde idam edilmeyi beklerken bu düşüncelere ulaştığında, *Philosophiae Consolatio** kitabında bunları yeniden kaydetti. Bu kitap, yazılmasından sonraki bin yıl boyunca şair, filozof ve teologların değer verdiği parlak bir eser oldu.

Platon'un zaman dışı ve ebedi diyar fikrinin geleneksel açıklaması için matematik örneği kullanılır. Kalıcı nesnelerle sayılar

* Boethius, *Felsefenin Tesellisi*, Çev. Çiğdem Dürüşken, Kabalcı Yay., 2006. (y.h.n.)

arasındaki karşıtlık örnek gösterilir. Bir taş parçasının bütün zamanlar boyunca var olabileceği tasavvur edilebilir ancak esasen bu taş zamanın *içindedir* ve zaman *içinde* değişebilir. Oysa, eğer iki sayısı varsa, her zaman vardır ama zaman içinde değildir, zamandaki bir süreçte yer almaz ve değişmez. Sahip olduğu bütün özellikler zorunlu ve kalıcıdır. İki sayısına hiçbir şey *olmaz,* herhangi bir şeyin değişime uğramasına da neden olmaz.

Ontolojik argüman; "Eğer Tanrı varsa, aynen bu şekilde ebedi olmalıdır" der gibi gözükmektedir. Tanrı'nın sahip olduğu bütün özellikler kalıcı ve zorunludur; her yerde ve tüm zamanlardadır çünkü hiçbir yerde ve hiçbir zamanda değildir. Ancak; eğer Tanrı, gerçekten zamanın dışındaysa, zamansal süreçleri nasıl etkileyebilir? Örneğin, Tanrı'nın dünyaya tufan göndermeye karar verdiğini varsayalım. Bu durumda Tanrı için bir zamanda doğru olan şey (dünyayı tufana boğmakta olduğu), başka zamanlarda doğru olmayacaktır. Dahası, eğer Tanrı dünya ile ilişkili ise (mesela, onun yaratıcısı olarak), dünyadaki her değişim onun ilişkisel özelliklerinin de değişimi olacaktır. Dünyayla bir anda *bu* ilişkide, diğer anda *şu* ilişkide olacaktır. Ama, eğer Tanrı iki sayısının olduğu gibi ebedi ise, böyle bir şey doğru olamaz.

Sonsuzlukla ilişkimizi değerlendirdiğimizde de benzer problemler ortaya çıkmaktadır. Burada ve şimdi var olmaktayken, o zaman dışı diyarla nasıl yüz yüze gelebilirim? T. S. Eliot'un ifadesiyle, Bir ermişin meşgalesi olan zaman dışının zamanla kesişimi olan nokta nedir ve nerededir? Bir şeye zaman içinde rastlarsak onun iki sayısı olmadığına kesinlikle emin olabiliriz. Aynı şey bütün ebedi şeyler için de geçerli olmalıdır. Bu durumda bizler, Platon'un *Phaidon** ve *Şölen*** diyaloglarında çok güzel anlattığı o ebedi dünyaya nasıl yükselebileceğiz?

Bu problemlere pek çok yönden en aydınlatıcı yaklaşım Spinoza'nınkidir. Ontolojik argümanın kendi uyarlamasında, en azından bir tözün var olduğunu ve de en fazla bir tözün var olduğunu kanıtlar: Bu töz mümkün olan her olumlu açıdan

---

* Platon, *Phaidon*, Çev. Nazile Kalaycı, Kabalcı Yay., 2012. (y.h.n.)
** Platon, Şölen, Çev. Eyüp Çoraklı, Alfa Yay., 2015. (y.h.n.)

sonsuzdur (*Ethica** 1. Bölüm). Bu tek töz varolan her şeyi kapsar; gerçekte Tanrı ile doğa arasında bir fark olamaz. Ya doğa (tek töz olan) Tanrı ile özdeştir ya da "kiplerinden" biri olarak onun "yüklemidir" (Spinoza "töz ve kip" terminolojisini Descartes felsefesinden almıştır. Kabaca, töz, kendine dayanan ve kendini sürdürendir, kip ise başkasına dayanan, bağımlı olan, onunla bilinen olarak tanımlanır). Spinoza Tanrı ile doğanın özdeşliğini iddia eder ve bir şeyin her şey olduğunun ifadesi olarak "Tanrı ya da Doğa" *(Deus siva Natura)* başlığını kullanır.

Bu görüşe göre, yaratıcı ile yaratılan arasındaki fark, iki farklı varlığın farkı değil, tek bir gerçekliğe iki farklı bakışın farkıdır. İlahi tözü bir tarafta kendine yeten ve her şeyi kapsayan bütün olarak, öte tarafta her biri birbirinden bir bağımlılıklar zinciri halinde açılan farklı kiplerinin toplamı olarak tasavvur edebilirim. Tözü birinci yoldan tasavvurumuz, matematikçinin bir ispatı düşünmesine benzer: Birkaç tane her şeyi kapsayan aksiyomdan çıkarak, doğruları sergileyen zaman dışı mantık bağlarını incelemek. Bir ispatın sonuçları ebedi olarak aksiyomların içinde vardır, bunlar ispatla açık hale getirilirler. Aynı şekilde, gerçeklik de Tanrı'nın içindedir ve ebedi özünden türetilebilir. Tözü ikinci yoldan tasavvurumuz ise dünyanın bilimsel görünümüdür: Henüz bilinmeyen ama gözlem ve deneyle sorgulandıkça yavaş yavaş sırlarını ele veren dünya.

Spinoza, ebediyat ile zaman arasındaki ilişkiyi de bu düşünsel karşıtlıkla açıklar. Dünya, bir matematikçinin ispatında yaptığı gibi, *sub specie aeternitatis* (ebediyetten bakarak); ya da ortalama insanların zaman içinde olanları izlediği gibi *sub specie durationis* (zamandan bakarak) tasavvur edilebilir. Ebedi ve değişken diye iki ayrı diyar yoktur ancak aynı gerçekliği tasavvur etmenin iki farklı yolu vardır. Dünyayı *sub specie durationis* incelemek, ona olduğu gibi bakmaktır, bu durumda zaman gerçektir. Yine de, dünyayı sadece bu açıdan incelersek hiçbir zaman onu bütün olarak kavrayamayız: Hiçbir zaman her hakikatin diğerlerini nasıl içerdiğini ve içerildiğini gösteren zorunlu bağlantıların toplamına erişemeyiz. Ne zaman ki dünyayı *sub specie aeternitatis* görürüz, o zaman bütün hakikatin zorunlu

* Benedictus Spinoza, *Ethica*, Çev. Çiğdem Dürüşken, Kabalcı Yay., 2011. (y.h.n.)

ve ebedi hakikat olduğunu, olması gerektiğini anlarız. Ancak ve ancak o zaman, dünya hakkında yeterli bir fikre sahip oluruz.

Spinoza'nın felsefesinde bütünün parçaları onun kipleri haline gelir, bütün farklar yok olur, bütün tekil şeyler sınırsızca ebediyete uzanan, sakin bir varlık denizinde eriyip gider. Zaman gerçek de olsa, filozofun nazarında çok az değeri vardır. Önce ve sonralardan oluşan süre aralıkları o tek tözü yukarıdan, o yüce yerden bakıldığında anlam ifade etmeyen parçalara böler. Şeylerin esas olarak nasıl olduklarını görmek (dünya hakkında yeterli fikre sahip olmak) için, süreden vazgeçmemiz, gerçekliği ebediyetten bakarak görmemiz gerekir.

Bu dünya anlayışının Leibniz'in de değindiği bir eksik yanı vardır: Spinoza felsefesinde, ortaçağ felsefecilerinin *principium individuationis* (kimlik ilkesi) dedikleri, bir nesneyi diğerinden ayıran, insan öznesine kimlik ve gerçeklik kazandıran, söylemlerimizi nesnel varlıklar dünyasına iliştiren yan eksiktir. Böyle bir ilke için, zaman ve mekânın çerçevesi gereklidir: Dünyamızdaki varlıkları, onların mekândaki yerlerini belirleyerek ve zamandaki değişimler içinde tanıyarak sayarız. Bizler de tekil varlıklarız. Benim geleceğimin beni ilgilendirmesinin nedeni, olacak şeylerin *bana* olacak olmasıdır. Zaman içinde kimlik ve özdeşlik olmadan, geçmişten ötürü pişmanlık duymam, gelecek için planlar yapamam, öldüğüm zaman bana ne olacağını merak edemem. Mekânda bir yerim olmadan bu dünyada hiçbir iş yapamam. İyi ya da kötü hiçbir şey yapmadan, gerçekliğin yanımdan geçip gidişini seyrederek, eylemsiz bir düşünce içinde, rüyadaki gibi, var olmaya indirgenirim.

Bu durumda, bazıları, ölümden sonra var olmaya devam eden kısmın, artık ben olmayan, bütün kimlik özelliklerinden ayrılmış, ilkel irade denizine tekrardan katılan parçam olduğuna inanan Schopenhauer'e katılabilirler. Schopenhauer bu düşünceyi ilginç bir metafizikle süslemiş de olsa, bu fikir bizi teselli etmiyor çünkü vurguladığı şey; benim hayatımın sonlu olduğu, ölümün benim sonum olduğu, sonrasında var olmaya devam eden şeyin ise benim için önemli olmayan kısım olduğu. Zamandan vazgeçmek, kendimden de vazgeçmek demek oluyor.

Hatta, bütün gözlemlenebilir dünyadan vazgeçmek demek. Kant zamanı "iç duyunun formu" diye tanımlamış, bütün zihinsel durumlarımızın özü gereği zamanda sıralanmış olduğunu söylemişti. Bir zihinsel durumun zaman içinde şimdi olduğunu bilmeden, ondan önceki ve sonraki durumlarla ilişkilendirmeden, benim durumum olduğunu bilinçli olarak fark edemem. Zamanın dışında varolan bir nesne, bir deneyim nesnesi olamaz, gözlenebilen dünya ile alakası da olamaz. Bu durumda, kimliği zaman tarafından verilmiş bir şey, nasıl oluyor da hem zamanın dışında var olabiliyor hem de aynı tekil şey olarak kalmaya devam edebiliyor? Açık ki, bu önerme tutarsız. Ebediyetten bakıldığında gözükenler mutlaka "bu, burası, şimdi"den farklı olmalı.

Bu meselenin sonuna vardık mı? Tam olarak değil ancak daha ileri gidersek sadece silüetlerin belli olacağı kadar karanlık bir bölgeye girmiş olacağız. Görünüşe göre; pek çok modern felsefecinin vurguladığı, nesnelerin zaman ve mekânda kimlik kazanabilmesi görüşü; benim için de geçerli, ben de kendimi ancak kendi uzay-zaman koordinatlarım yoluyla tanımlayabilirim. Ama bu doğru değil. Aynada bir şekil görüp onun benim yansımam olduğundan şüpheye düşebilirim. Ancak normal durumda, bilincinde olduğumun şeyin ben olduğu sorusunu *sormam* bile. Sadece ben olduğumu bilirim. Kendimi bilincin nesnesi değil de *öznesi* olarak tanımladığımda; bunu, uzay-zamansal bir çerçeveye, özdeşlik kriterine ihtiyaç duymadan, hata riski olmadan yaparım.

Dahası, nesne ile özne farkını çok iyi biliriz, nesneler dünyasında bir özne ile karşılaştığımızda, ona farklı davranırız. Örneğin, önümdeki masaya bir elma düşmüş olsun, ben de "Neden?" diye sorayım. Bu soruya doğru cevap, bir neden göstererek verilir: Rüzgâr dalından kopardığı için düştü. Nedensel açıklamalar yaptığımızda olayları otomatik olarak zaman ve mekânda sıralarız; nedensel ilişki, doğası gereği zamansaldır. Nedenler genel olarak, sonuçtan ya önce ya da aynı zamanda gerçekleşirler ama diyelim ki, siz benim önümdeki masaya bir elma attınız, ben de "Neden?" sorusunu sordum. Kitabın birinci bölümünde gördüğümüz gibi, bu durumda sorunun anlamı farklıdır. Normal durumda, yani size bu soru yöneltildiğinde bir neden değil bir gerekçe beklenmektedir. Bu elmayı neden bana doğru fırlattınız? Cevaplardan biri, "Hak ettin" diğeri "Yemeni istedim" olabilir.

Gerekçeler bizi başka bir doğrultuda yönlendiriyor: Bu olayla uzay ve zamanda ilişkilenen diğer olaylara değil, soyut adalet ilkelerine. Burada, tüm akıllı varlıklara yönelik, yalnızca gözlemlerle açıklanamayan, zaman dışı emirlerden bahsediyoruz. Her kişiye hak ettiği kadar verilmesi ilkesini ele alalım. Bu kural yer ve zamandan bağımsız olarak geçerlidir ve sadece öznenin durumu ve diğer öznelerle ilişkisi ile ilgilidir. Özneler birbirlerine zaman ve mekân dışında bir noktadan bakar gibidirler, birbirlerini ebediyetten bakarak görmeye mahkûmdurlar. Kendimizden kaynaklanan faaliyetlerimizi işte böyle görürüz. Eğer yanlış olduğunu düşündüğüm bir şey yaparsam, sonucunda utanç ve vicdan azabı duyarım. Bu hareketin lekesini üstümde taşır, hakkımda hüküm verilmesi gerektiği hissiyle yaşarım. Bu tür durumlarda verilen hüküm, doğası gereği zaman dışıdır: Daha sonra ne olacağından bağımsız olarak, benim benliğime kayıtlı olarak, hep benimle olacaktır.

Kendinin bilincinde olan öznenin bu tuhaf durumu, tuhaflığını ancak bu konuda felsefe yapmaya başlayınca anlayabileceğimiz garip bir deneyime yol açar. Sanki nesneler dünyasında birtakım delikler açılmış ve her bir delikten bir özne bakıyormuşçasına, her birinde diğerlerinin transendental irade alanını fark ederiz. Bir kişinin gözleri suçlayabilir, affedebilir, temize çıkarabilir. Sadece nesnelere bakmakla kalmazlar, diğer insanlara bakarlar ve başkalarının bakışını davet ederler. Buna bir örnek olarak aklıma âşıkların bakışları geliyor. âşık birisinin bakışları sevgilisinin derinliğinde parlar, ötekinin öznesini tenine çağırır: Nesneler dünyası yok olur, benlikler ortak bir sınırda birbirine yaslanır. Bu deneyimi sözcüklerle anlatmak zor ama Donne'nin anlatımı şöyle:

"Gözlerimizin ışığı bükülüp nasıl gözlerimizi çifte bir bağla
Birbirine geçirip bağladıysa,
Ellerimiz de birbirine geçerek bizi tek yapan
Şeylerdi, gözlerimizde görünen resimler
Bizim yavrularımızdı."

Bu deneyim zamanda yer almasına rağmen, anlaşılır nedenlerle, sanki doğal düzenin dışında bir kozada yaşanmış gibi, çoğunlukla zamanın dışında yer almış gibi anlatılır: Sevgililerin bakışları ânın, neden-sonuç ilişkilerinin, ampirik dünyanın ötesinde, dışında bir şeye yöneliktir. Belki de burada bir yanılsama söz konusudur. Öyle bile olsa, bu durum kendimizle ilgili en derin düşüncelerimizden kaynaklanır. Bütün düşüncelerimizde bu zihinsel görüşümüzün sınırında bulunan, tanımlanamaz şeyin farkındayızdır: Kendini nesneler dünyasında göstermekle kalmayıp o dünyayı kendine mal eden, faaliyet gösteren, düşünceye cevap verebilen özne.

Taslak olarak bahsettiğim bu ve benzeri durumlar, bireylerin zaman dışı bir durumda var olduklarını ispat etmez. Ancak yine de, insanlık durumunda, bizi Spinoza'nın dünya hakkında düşündüğüne benzer biçimde düşünmeye yönelten bir yan olduğu fikrini uyandırır. Bir yandan doğal dünyada; zaman, mekân ve nedensellikle sınırlanmış nesneleriz, öte yandan birbiriyle ilişki kuran, sadece akıl ve onun değişmez kuralları ile sınırlanan özneleriz. Biz bireyselliğimizi bu *ikinci* bakış açısıyla kazanırız. Özne biriciktir; yeri doldurulamaz; erotik sevgi, övgü, suçlama ve vicdan azabı gibi tavırların odağındadır. Bu duygular, sadece nesne olarak görülen bir şeye karşı duyulamaz. Bize bireyin ne olduğunu ve niye önemli dolduğunu gösterenler de işte bu tavırlardır.

Ama bu fikirlerin bir anlamı var mı? Benliği Descartes'çı veya Fichte'ci bir bakış açısından, yani kendi bilgisinin *nesnesi* olarak görmeden bu düşüncelere bir anlam verebilir miyiz?

7
Tanrı

Bu sorunun kısa cevabı şu: Bilmiyorum. Ancak önümüzdeki üç bölüm, soruyu netleştirmemize yardımcı olacak. Modern felsefenin büyük bir kısmı okurlarına ikna edici gelmez çünkü işe, yetersiz ve verimsiz bir insan öznesi anlayışıyla başlar. Kelimelere hiç dökmemiş olsak da, hepimiz kalbimizde biliriz ki, insan öznesi karşılaştığımız en tuhaf şeydir. Bu meseleyi kelimelerle ifade etmeye kalktığımızda da açıklamakta zorlandığımız kavramları kullanmak durumunda kalırız: Benlik, irade, özgürlük, sorumluluk, bireysellik, aşkınlık, gibi. Bu hakikati teslim ettikleri için, kıta geleneğinden gelen felsefecilerin, özellikle de Hegel ve Heidegger gibi romantiklerin önemli bir izleyici kitlesi vardır. Bu hakikatleri ihmal eden ya da en azından onlarla yüzleşmekten uzak duran İngiliz-Amerikan geleneğinden gelen felsefecilerin büyük bölümü ise, hayatın kısalığı içinde pek az insanın okuma isteği duyacağı dergilerde, sadece birbirleri için yazılar kaleme alırlar. Bu durum üzücüdür çünkü İngiliz-Amerikan felsefe geleneğinin bize, Marksizm, fenomenoloji, varoluşçuluk, yapısalcılık, yapısöküm vb'den çok daha fazla söyleyecek şeyi vardır.

Bana öyle geliyor ki, en acil ihtiyacımız, dünyamızı bir zamanlar bir arada tutan ve şimdi gücünü kaybetmekte olan kuvvetin, yani dinin, doğasını ve önemini anlamaktır. Belki de yakın bir gelecekte din geçmişe ait bir şey haline gelecek ancak; daha muhtemel olan durumda, dine benzer işlev, yapı ve ruha sahip başka inançlar Tanrı'nın bıraktığı boşluğu dolduracaklar.

İki durumda da dinin nedenlerini ve kaynaklarını anlamamız gerekiyor. İnsanların dünyası ve içinde yaşayan özneler dinî fikirlerle kuruldular. Dinî duyguların hayalete benzer kalıntıları şu anda baş edilmesi en zor felsefi problemlerimizin nedeni durumundalar.

Dinin bildiğimiz iki farklı yönü var: Dinî inanç ve dinî görenekler. Bu ikisi örtüşmek zorunda değil. Öğretileri belirsiz ya da bağlayıcı olmayan bazı dinler vardır ki, görenekleri takip konusunda çok ısrarcıdırlar. Geleneksel Çin dini, ayinlere büyük önem verir ve ayinin tam doğru yapılmasının atalarımızın ruhu için gerekli olduğunu savunur ancak bunu açıklamak için çok basit ve yetersiz teolojik argümanlar kullanır. Japon dini Şinto ve hatta Antik Roma ve Antik Yunan dinleri için de benzer şeyler söylenebilir. Hesiodos'un hikâyelere dayanan teolojisi metaforlar üzerine kurulu olduğunun ancak biraz farkındadır, Ovidius'a gelindiğinde bu farkındalık tamdır ve şaşkınlık doludur. Ancak şaşkınlık, Tanrılar dünyasına değil, şairin biraz eğlence yerine geçen inancına karşı duyulmaktadır. Antik toplumlarda, dindarlığa saygı ve riayet, saygı gösterildiği varsayılan doğaüstü yaratıklar hakkında doğru fikirlere sahip olmaktan daha önemliydi. Romalılar, durmadan değişen bir yığın Tanrı'yı tanıyarak, onlara gerçekten inanıp inanmadığınızın o kadar önemli olmadığını da ima ediyorlardı. O zamanlarda, günümüzde dünyevi bir unvan kazanmamıza benzer şekilde, bir insan bir Tanrı'ya bile dönüşebilirdi. İmparatorun kendini keyfi olarak Tanrı ilan edebildiği bir yerde, ortalama Romalının Tanrıları çok ciddiye aldığına inanmak pek de mümkün gözükmüyor. Ama bu durum, Roma düşüncesinin ve kamu düzeninin dayandığı kutsal şeylere duyulan saygıyı yok etmiyordu. *Lares* et *penates*'e (ev cinleri) dua etmek, yaşlılara hürmet, yeni doğmuşlara hayret ve saygı göstermek gerekliydi. Doğum, evlilik, ölüm ve topluma katılım gibi önemli olayları kutsamak ve bireysel isteklerin üzerinde tutmak gerekliydi. Sosyal zorunluluklar sadece anlaşmalardan değil, kutsal yeminlerden de ortaya çıkabiliyordu ve bu durum ebedi bir yargının varlığının kabul edildiğini gösteriyordu. Dindar Aeneas'ın yanmakta olan Troya'dan kaçışındaki kaderde olduğu gibi.

Dinî inanç olmadan dinî göreneklerin var olabileceği gibi; görenek olmadan inancın olması ya da görenekleri izleme ve ibadetin kişinin vicdanına bırakılması da mümkündür. Hıristiyanlığın Protestan geleneği bu yöne yönelmiş, Roma Katolik kilise ayinlerinin putperestliği andıran süslerinden sıyrılmış ve her şey Tanrı ile insan ruhunun yalın yüzleşmesine indirgenmiştir. Ancak bu tavır beraberinde tehlikeleri de beraberinde getirir. Tanrı'yı gizemli kılan suretlerden vazgeçerek ona ulaşmaya çalışan *via negativa** Karl Barth'ın olumsuz teolojisinde olduğu gibi Tanrı'dan vazgeçme noktasına da yaklaşabilir. Saf ve gerekli olmayanı dinden silmeye çalışan Protestanlık, her zaman kendini olumsuzlama tehlikesiyle karşı karşıyadır: Bu durum Protestan kiliselerin Roma kilisesine göre çok daha büyük bir krizde olmalarının nedenlerinden biridir. Her şeye rağmen, kararlı ve tarihsel olarak kalıcı biçimlerindeki Protestanlık, açık teolojik inancı, görenek ve ibadette tam bir belirsizlikle birleştirmek konusunda ilginç bir yönelim göstermiştir.

Bana öyle geliyor ki, rasyonel teolojinin aynı zamanda *din* olabilmesi gerçeğinde çok şaşırtıcı bir durum var. Ayinlere riayet [katılım], seremoniler ve kutsallık duygusunun bir araya gelmesi ile Teolojinin Tanrısı birleşiyor. Elbette ki, bu ikisi tek bir ruhta ayrı hayatlar sürdürebilir. Örneğin, soyut tektanrıcılığın en açık savunucularından Aristoteles, Antik Yunan dininin mit ve âdetleriyle huzur buluyordu. Dünya ötesi ve her şeyi aşan, yüce bir Allah fikrinden şaşmayan Hz. Muhammed, yine de Kâbe'nin kutsal taşını saygıyla tavaf ediyordu. Ama bunlar geçiş dönemlerine, tektanrıcılığın ışığının mitlerin gölgesini henüz süpürmediği zamanlara ait örnekler. Tektanrıcılıkla birlikte ana kuvvet; yaratıcı, zorunlu ve zamansız olarak varolan, "kendinin nedeni" özü var olmak olan, her şeye kadir, her şeyi bilen ve iyi olan Tanrı'ya inanç hemen kadim inançların kültleriyle birleşip derinleşerek, kendi kültünü oluşturdu. Ataların hayaletlerinin ve kahramanların, yeryüzünde kalanlara duymaya devam ettikleri ilgi, Tanrı'nın özelliklerinden birine dönüştü. Kendisi ilk neden olan ana kuvvet, hayret verici biçimde, yarattığı âlemle ve bizlerin işleriyle kişisel olarak ilgileniyordu. Varlığını, safsata gibi

* (Lat.) Olumsuz (negatif) yol. (ç.n.)

görünen ancak hiçbir zaman da tam olarak çürütülemeyen bir argümanla* kendi kendine kanıtlayan Teolojinin Tanrısı, kutsal varlığını deneyimimizin empirik dünyası ile inançlarımızın transendental dünyası arasındaki uçuruma köprü kurmak için kullanıyor ve bir kişi haline geliyordu. Hatta Hıristiyanlıkta bu kişi ete kemiğe bürünüyordu. Spinoza bunun saçmalığını görüp, aşkınlık ve Tanrı'nın bizim sevgimize ve ibadetimize ihtiyaç duyduğu fikrini reddetmiş, Tanrı'nın kişisellik maskesini kaldırmış, mitleri ve kutsal âdetleri put olarak görüp kabule değer bulmamıştır. Ancak Spinoza din düşmanı ve teolojiyi kurtarmak için onun amacını feda eden bir kişi olarak görülmüştür. Çünkü insanlığın büyük çoğunluğu için teolojik inanç ile dinî ibadet arasında bir ayrılık, bir çelişki yoktur. Bu niye böyledir? Evreni yaratan Tanrı'ya inananları aynı zamanda ebedi hayat ummaya, transendental bir gerçekliğe güven duymaya; ancak öte yandan sadece atalarının ibadet ettiği yerlerde ibadet etmeye, Tanrı'nın vahyinin kabul ettiğini görmediği âdetlerle yaşamaya devam etmeye ve hatta değişik âdetleri dinsel saygısızlık olarak görmeye iten şey nedir? Varoluş muammasına rasyonel bir cevap arama çabası ile mitlerin mantığı, günah ve kirlenme hissi, dünyevi bir topluluğu tanımlayan âdet ve ayinler; neden *hepsi tam da aynı yöne* yöneliyor?

Kendimi ve diğer insanları doğanın düzeninin içinde varolan nesneler olarak görebilirim ama aynı zamanda da ben ve diğerlerine transendental bir bakış açısından baktığımda, bir bakıma doğa düzeninin dışında olan özneler görürüm. Nesne ve özne arasındaki bu bölünmeden kaçınmak mümkün değildir ve bu durum Hegel'in görmüş olduğu gibi, yabancılaşmamızın temel nedenidir. Bütün planlarımızı, projelerimizi yani bizim için önemli olan her şeyi, özne ile ilgili olarak tasarlarız: Sevgi ve arzuda yakalamaya çalıştığımız ama hep elimizden kaçan şey bu bendir. Nesnel dünyada gerçekleştirmeye çalıştığımız, kendisi için kabul ve haklar talep ettiğimiz, toplumsal kişiliğimizin gösterişli fakat değersiz süslerinden etkilenmeyen şeydir. Dünyanın *içindeki* hiçbir şey bir ben *olamaz.* Bunun tersini düşündüğümüz zaman sadece bir gramer hatasının kurbanı

* Ontolojik argüman kastediliyor. (ç.n.)

oluruz: Bu, kendim kelimesinin geçerli kullanımından, atıfta bulunmakta olduğum bir benin var olduğu sonucuna varmaktır. Bu şöyle bir şeye benzer: Hatırım için ifadesinin kullanımının geçerli olmasından, dünyada hatır diye bir şeyin var olduğunu çıkarmak. Bir bakıma, "Hatır nasıl bir şeydir?" sorusu, tipik bir felsefi sorudur.

Başka biçimde ifade edersek: Rasyonel bir varlık olan insan, metafizik bir yalnızlık durumu içinde yaşar. Bu durumu böyle tanımlamayabilir. Özellikle de benim bir önceki paragrafta kullandığım Kant'çı ifade biçimini kullanma ihtimali çok düşüktür ancak eğer bilincinin farkında ise, bu yalnızlığın sonuçlarına katlanacaktır. Belki *Gılgamış Destanı*'ndan,* *Four Quartets'e*** kadar bizim dünyaya düşmüş durumumuzu insani arzularla insani tatmin arasındaki ayrılığı (ki bu ayrılık bu dünyanın *içinde* olup onun bir *parçası* olmamaktan gelir) yorumlayan eserlerde teselli arayacaktır. Hayvanların masumiyeti bu ayrılığın farkında olmamalarından ötürüdür, bizim farkındalığımız ise hem dinî ayinlere hem de transendental Tanrı inancına yol gösterir. Bu ikisinin bir arada bulunması da tek bir ihtiyaca cevap vermelerindendir.

Kendilerinin bilincinde olan varlıklar olan insanlar, sürü ya da güruhlar halinde değil, farklı iki şekilde topluluklar oluştururlar. Birincisi, müzakere, yasa ve anlaşmalarla denetlenen toplumlar; ikincisi, üyelik bağıyla birleşmiş kabile veya cemaatler. Antropologlar, uzun zamandır insanların üyelik bağı ihtiyacı duyması, bunu sağlayan katılım törenleri ve yaptırım sağlayan cezalar hakkında düşünmekteler. Ancak hemen hepsi Durkheim'ın *Les Formes Élémentaires de la Vie Religieuse**** kitabında vardığı sonuca, yani, ilkel biçimiyle dinî kurallara riayetin, katılım törenlerinin bir parçası olduğuna ve anlamını insanlar mitler, ayinler ve dünyevi ile kutsal arasındaki fark konusunda ortak bir yaklaşıma sahip oldukları zaman ortaya çıkan yeni ve dinsel bir bağdan aldığı sonucuna katılmaktalar. Bu dinsel

* *Gılgamış Destanı*, Çev. Sait Maden, T.İş B. Kültür Yay., 2016. (y.h.n.)
** T. S. Eliot'un ünlü şiiri. (ç.n.)
*** Émile Durkheim, *Dini Hayatın İlk Şekilleri*, Çev. İzzet Er, T. Diyanet Vakfı Yay., 2009. (y.h.n.)

bağın metafizik anlamının anlaşılması gerekiyor. Bu nesneler dünyasında bulunan *özneler* arasında oluşan bir bağdır. Dine riayet edenler, *beraberce* doğanın ötesinde yer alan bir âleme *girerler*. Tören ve ayinin işlevi, kelimeleri, beden hareketlerini, dansları, yani benliğin ifadesi bakımından zengin olan davranışları harekete geçirip onları doğaüstü bir yöne yöneltmektir. Ayinler, temelde paylaşılır ve büyülü sözleri tekrarlayan ya da büyülü hareketleri yapan her özne, o an için nesneler dünyasından kurtulur, yanı başında ibadet eden öznelerle beraber mistik paylaşım içinde, serbestçe gezer. Gündelik insanlar arasındaki ilişkilerin hiçbiri bu etkiyi sağlayamaz. Gündelik ilişkiler; müzakere, anlaşma, hak ve görevlere saygı gerektirdiklerinden, bireyin kendisinin egemen olduğu bir alanının olduğunu ve sadece kendisine ait, tecrit edilmiş bir bölgesi olduğunu varsayarlar. Dinî ayinin birinci çoğul şahıs kipi bu tecriti kaldırıp, kısa fakat gerekli bir zaman süresi boyunca, başka zamanlarda sadece benim dediğim öznel bakış açısını paylaşmamızı sağlayarak, hepimizde doğanın dışında var olduğumuz hissini yaratır.

Ancak bu doğaüstü âlem düşüncesi, transendental bir bakış açısı fikrine yol açar: Özneden nesneler dünyasına yönelen değil, özneye yönelen, benliği hakiki haliyle görmemizi sağlayacak bakış açısı. Sanırım ki, tektanrıcılığın Allah fikri bu şekilde ortaya çıktı: Öznelerle *doğrudan* yüzleşen, onlara mistik birleşmedeki yerlerini dağıtan, kendinin bilincinde özne olarak. İlahi bilinçte özne ve nesne birdir; ikisi arasındaki bölünme giderilir ve bütünlenirler. Dinî ayinler, metafizik yalnızlığımızı giderir ancak Tanrı olmadan bu toplu bilinç bir yanılsamanın etrafında dolanır durur. Tanrı ile birlikte, yanılsama gerçeğe dönüşür; öznellik daha üst düzey bir nesnellik haline gelir ve öznelerin birbirinde huzur buldukları, saydam biçimde bilindikleri bir âlemde *yerimizi alırız*. Sadece teselli olmakla kalmaz, aynı zamanda kurtarılırız, bu metafizik kurtuluş gündelik hayatımızı farklılaştırır. Geçen bölümde de göstermiş olduğum gibi, kendinin bilincinde olan varlık (insan) kendi hakkında yargıda bulunur ve bu yargı zamandan bağımsızdır: Bu yargının nesneler dünyasında değil, sadece suçun lekesini silebilecek bir iç yenilenme ile üstesinden gelinebilir. Suç duygusu ve vicdan azabı, özne ile nesne bölünmüş kaldıkça, öznenin nesneyi suçlaması yoluyla devam eder. Ancak özneyi nesne olarak gören Tanrı, ikisi arasındaki bölünmeyi giderir, ikisini de ortak kirlerinden temizler ve ikisini beraberce bilinçli seçim dünyasının içine sokar.

Anlatmaya çalıştığım deneyim, *Holy Communion*'a* katılan herkesin iyi bildiği bir şeydir; Wagner'in *Parsifal*'inde eşsiz biçimde sahneye koyulmuştur ve inanca adanmış sayısız çalışmada açıklanmıştır. Ama Hegel ve onun eleştirmeni Kierkegaard dışındaki felsefeciler bu konuya pek değinmezler. Angloamerikan geleneğimizdeki felsefeciler için Tanrı konusu, hakkındaki inandırıcılığı şüpheli birkaç kanıt dışında, önemli değildir. Oysa, kanımca bu konuda söylenecek çok daha fazla şey var. Öyle sanıyorum ki, inanma ihtiyacı metafizik bir durumdan kaynaklanıyor. Bu ihtiyacın yegâne çaresi de, doğanın tamamen dışında duran, bizimle kişi olarak yüzleşen, bizi özlemlerimizin yöneldiği transendental bir âleme yükselten tektanrıcılığın Tanrı'sıdır.

Bu yüzden, kişi olan Tanrı'nın var olup olmadığı sorusunun araştırılması gereklidir. Benlik Tanrı'ya ulaşmak istediği takdirde, bu soru aciliyet kazanır. Şurası doğru ki, insanlar yabancılar arasında serbestçe dolaşmaya başladıkları zaman Kabilenin Tanrısı'nın onları korumakta yetersiz kalmakta olduğunu fark ettiler. İnsanlık tarihinde "Felsefecilerin Tanrısı" fikri oldukça yenidir ancak kendisinin doğası hakkındaki tartışmalar her yerde birbirine benzemektedir. Tanrı, her yerde zaman dışı, değişmez, her şeye vakıf, her şeye kadir, en iyi ve -en çarpıcı yanı da bu- takdir eden ve suçlayan, seven, nefret eden ve affeden, ahlaki kategorilere uygun davranan bir kişi olarak karşımıza çıkıyor. Her özelliğinde aşırı olan ancak bizim de kendisinin suretinde yapılmış olduğumuzu iddia eden (ki bu sinikler için Tanrı'nın bizim suretimizde yapılmış olduğunun bariz bir işaretidir) bu kavramın sorunlu olduğu açık. Yine de başka hiçbir kavramsallaştırma ihtiyacımıza -diğer bütün özneleri kendi öznellikleri halinde bilebilen ve dünyamızdaki çatlağı iyileştirme gücü olan, transendental bir *özne* bulma ihtiyacımıza- gerçekten cevap veremiyor.

---

* (İng.) Hıristiyan Kilisesi'ne mahsus olan, İsa'nın son akşam yemeğine de atfen yapılan şarap ve ekmek yeme ayini. (y.h.n.)

Geçen bölümde zaman içinde bulunan varlığın, kendi ve özellikleri değişmeden zaman dışı duruma geçme saikinden bahsettim. Bütün özellikleri koruyarak, olumsaldan zorunluya geçişte de buna benzer bir durum vardır. Bu durum, Aziz Thomas Aquinas'ın büyük eseri *Summa Theologica* kitabına başladığı, Tanrı'nın varlığını ispatlamaya çalışan beş argümanında gösterilmiştir. Aquinas, kendimizi olumsal şeylerin dünyasında bulmuş olduğumuzu söyler: Bu dünyadaki şeyler var olmamış da olabilirlerdi. Bu dünyadaki şeylerin var olması da, olmaması da mümkündür. Ama var olmayabilen bir şey, zamanın bir noktasında yok olacaktır. Her şey olumsal olarak varsa, öyle bir zaman olmalıydı ki, hiçbir şey var olmamalıydı. Bu doğruysa, o zamandan sonra hiçbir şey var olmamalıydı çünkü yokluktan varlık çıkmaz. Demek ki, şu anda hiçbir şey var olmamalıydı ama şu anda varolan bir şeyler var. Bu durumda, varolan her şey olumsal olamaz. Bir şey, zorunlu olarak var olmalı. Bu zorunlu varlığa sahip varlık da Tanrı'dır.

Beş Yol adıyla anılan bu akıl yürütme, çoğu zaman kıyaslandığı ontolojik argüman gibi kuru ve soyuttur. Aziz Anselmus'un anlatımıyla ontolojik argüman, şu şekildedir: Tanrı, düşünülebilecek en büyük varlıktır. Bu fikir; yani her olumlu özelliğe sahip ve her bakımdan mükemmel varlık fikri, zihinlerimizde kesin olarak mevcuttur. Ancak bu fikrin nesnesi sadece bizim zihnimizde var olup gerçeklikte yoksa, bu durumda ondan daha üstün olan bir varlık fikri zihnimizde vardır, o da hem zihnimizde, hem de gerçekte varolandır. Ancak bu bizim hipotezimize aykırıdır. Dolayısıyla, en mükemmel varlık fikri, gerçeklikle uyumlu olmalıdır. Var olmak, en mükemmel varlığın doğasında olmalıdır, demek ki doğası itibarıyla Tanrı vardır. Diğer bir değişle Tanrı, olumsal değil, zorunlu olarak vardır.

Kant, bu argümana var olmanın bir özellik olmadığını söyleyerek karşılık vermişti. Modern mantık da aynı şeyi söyler. F, G ve H özelliklerine sahip bir şey *vardır* dediğimizde, özellikler listesine bir şey eklemiş olmuyoruz; sadece F, G ve H tek bir örnekte bir araya geliyorlar demek istiyoruz. Ancak şimdiye kadar kimse ontolojik argümanın, varlığın bir özellik *olduğunu* varsaydığını gösteremedi. Aslında, bu argüman hakkında kimse pek bir şey gösteremedi. Pek çok yarı çılgın mantıkçı bu argümanın değişik versiyonlarını üretmeye devam ediyorlar. Bunların çoğu inandırıcı olmaktan uzak olsa da, Tanrı'nın öldüğü yolundaki dedikoduların büyük ölçüde abartılı olduğunu göstermeye yarıyorlar.

Ancak "zorunlu varlık" konusu, bizi yine aynı fikre, zaman dışı âleme götürüyor: Zaman dışı varlıklar, var olmaya başlayamayacakları gibi var olmaları da sona eremez. Varlıkları kavramlarının bir parçasıdır. Aynı şey, Tanrı için de geçerlidir. Peki, bu durumda, Tanrı'nın dünyayla nasıl bir ilişkisi var? Sayıların varlığı zorunludur, eğer iki sayısı varsa, mümkün olan her dünyada vardır. Ancak bu durumda zorunlu varlık yeteneği, nedensellik özelliği ile ters orantılıdır. Sayılar hiçbir şeyi etkileyemezler, hiçbir şey de onları etkilemez (Bir sabah uyandığınızda, geceleyin iki sayısının başına kötü şeyler geldiğini duyduğunuzu düşünün!). Aynı durum bütün zorunlu varlıklar için de geçerli olmalı. Bir varlık zorunlu olarak *varsa*, taşıdığı özellikler de zorunlu olarak var olmalı. Belki de böyle bir şey var, bütün "mükemmeliyetlere" sahip, en azından değişim fikri ile alakalı olmayan mükemmeliyetleri taşıyan bir şey. Ancak problem de burada. Bir kişiliğin mükemmeliyeti; davranışı, duyguları, değişimi ve değişebilme özelliği ile alakalıdır. Geleneğimiz Tanrı'nın da bir kişilik olduğunu söylüyor.

Eğer daha önce karşımıza çıkmış olan problemi çözebilir, yani bir ve aynı varlığı hem zamanın içinde, hem de dışında olarak görebilirsek, Felsefecilerin Tanrısı'nı kabul edebiliriz. Hıristiyanlığın Tanrı'nın İsa'da vücut bulması öğretisi tam da bunu yapmaktadır ancak bu öğreti kesinlikle ispat niteliği taşımaz ve de gizemlerin en büyüğüdür (Milton'un *Paradise Lost*'unda* İsa'yı anlaşılabilir kılmak için bu öğretiye ne ekler yaptığını düşünün). Burada bir çıkmaza varmış gibi görünüyoruz. Tanrı ancak bizim gibi bir kişilik olduğu takdirde bizim ihtiyacımıza cevap verebiliyor. Ancak bu olasılık da kendisinin zorunlu ve zamanın dışında varlık olmasıyla ortadan kalkıyor. Böyle bir Tanrı neye yarar ki?

* John Milton, *Kayıp Cennet*, Çev. Enver Günsel, Pegasus Yay., 2006. (y.h.n.)

Tanrı'nın öldüğünü 1845'te bütün dünyaya ilk olarak ilan eden kişi Max Stirner'di. *Also sprach Zarathustra: Ein Buch für Alle und Keinen** kitabında ölüm ilanını tekrarlayan Nietzsche, insanlığın bu haberi kabul etmekte zorlanacağının fazlasıyla farkındaydı, o yüzden teselli olarak insanlara bir şeyler verilmesi gerektiğini düşünüyordu. Eğer bir transendental varlık yoksa, özlemlerimiz ancak *kendimizi* aşarak, insan doğasının üstesinden gelip onu daha yüksek ve güçlü bir şeyle, yani *Übermensch [üst-insan]* ile değiş tokuş etmekle gerçekleşebilirdi. Nietzsche'nin birkaç müridi onun gösterdiği yoldan gitmeye çalıştılar ancak sonuçlar aynı yoldan gitmek isteyebileceklerin cesaretini kıracak kadar tatsız oldu. En azından şunu söyleyebiliriz ki, eğer bir *Übermensch* iseniz bunu pek belli etmeseniz iyi edersiniz. Aslında Nietzsche'nin kendini aşma ahlakı bizim gibi varlıklar için dinin anlamını gösteriyor: İnanç ve iman bizlerin transendental yalnızlığımızı aşmanın en yüksek yoludur. İman olmadan; ya Nietzsche gibi bu yalnızlığı bir erdem haline getirmeye çalışırız ya da hayatı daha heyecansız bir düzeyde yaşarız. Tanrı'nın öldüğü duyurusu, Tanrı'dan çok bizlerle ilgili bir duyurudur. Zorunlu varlık ile ilgili en karmaşık argümanlar geçerli olsa da, bu varlığa bir kişinin bildiğimiz bazı özelliklerini yükleyebilsek de bu, artık dinî davranışları eski gücüne kavuşturamayacak. Çünkü dünyanın başka bir görünümünün fark edilmesi, inananların mistik birleşimini eski gücüne kavuşturamayacak. Tanrı'nın ölümü aslında kutsal kavramı üzerine kurulan insan toplumunun eski bir biçiminin ölmesi anlamına geliyor.

Kutsal ve mukaddes kavramları felsefecilerin epey ilgisini çeker ya da çekmeli. Bu kavramlar, dünyayı algıladığımız kavramlarla, dünyayı açıklamak için kullandığımız kavramların ne kadar farklı olabileceklerini gösterirler. Birinci bölümde bu farklılığı gösteren bilinen bir örnek üzerinde durmuştum: İnsanların gülümsemesi. Milton "Akıldan çıkar gülücükler ve sevgiyle beslenirler" demişti. Sadece kendinin bilincinde olan, akıllı varlıkların gülümsediğini, sadece onların gülümsemeyle

* Friedrich Wilhelm Nietzsche, *İşte Böyle Dedi Zerdüşt*, Çev. Sadi Irmak, Kabalcı Yay., 2011. (y.h.n.)

ifade edilen bu tuhaf yönelimselliğe sahip olduklarını söylemişti ve neyse ki bunu bu şekilde ifade etmemişti. Ama gülücüğün, bilim insanının kitabında yeri yoktur. O kitapta bulacağınız şey, yüzdeki kas hareketleri ve yüzün beyindeki elektrokimyasal sinyallere verdiği cevap olacaktır. Belli yüz hareketlerini gülümseme olarak sınıflandırmamızın nedeni, bunları kişiliklerin diyaloğu içindeki unsurlar olarak öyle algılamamız ve onlara benzer biçimde cevap vermemizdir. Diğer insanlara yönelttiğimiz ve dünya dışındaki bir noktadan çıkıp, dünyaya dair bir perspektifi insan formunda görmemizi sağlayan belli bir tutumumuz vardır. Bir gülümsemede gördüğümüz de budur. Kutsal, mukaddes ve mucize deneyimleri de bu tavrı diğer insanlara değil; yerlere, zamanlara ve nesnelere yönelttiğimizde benzer biçimde ortaya çıkarlar. Bu şeyler, böylece sessiz olumsallıklarından çıkarılıp, akıl ile diyaloğa girerler. Kutsal bir yer, sadece nesnelerden bir kişiliğin ışıldadığı bir yerdir: Bir taş parçası, bir ağaç ya da bir yudum su. Bu şeylerin kendi öznellikleri yoktur, Tanrı'nın varlığının anlamını taşımalarının nedeni de budur. Bu yüzden kutsalın deneyimi bir vahiydir, ilahi olanla doğrudan bir yüz yüze gelіştir. Bu deneyim, doğaya ait açıklamalarla anlatılamaz, tek başına ve istisnai olarak kalır.

Dünyayı bu şekilde kişiselliğe bürünmüş olarak görebilme duygusu, insani yabancılaşmanın üstesinden gelir. Bu duygu; aidiyet deneyiminin doğaya taşıp ona da insani hayatiyet kazandırmasıyla ortaya çıkan toplumsal hislerin fazlalığından kaynaklanır. Özgürlüğümüzü görebileceğimiz aynayı hazırlayarak, özgür olduğumuzu teyit eder. Doğa bir hapishane olmaktan çıkar, kapıları açılır ve amaç ile fiil arasına bir şey girmez.

Bu fikir ve anlayışı kaybetmiş durumdayız. Eski toplum biçimleri kayboldu ve bilim kendi anlayışı dışındaki bütün anlayışlara katı bir yasak koydu. İnsanın suretinde görünen bir doğa dünyası yerine doğa dünyasının bir parçası olan insan anlayışı geçti. Dünyanın bilimsel resmi, teolojik anlayışın yerine geçti ve gerçekten de insan özgürlüğünün işaretlerini kazıyarak, dünyayı demoralize [ahlakdışı] hale getirdi. Ancak bu demoralize dünya gerçek olan değildir, felsefenin görevi de bunu göstermektir.

8
Özgürlük

Bu mümkün mü peki? Bilim, insan özgürlüğünden tamamen vazgeçmişken, felsefe insan özgürlüğüne olan inancımızı yeniden sağlayabilir mi? Ben bu sorunun cevabının evet olduğuna inanıyorum. Ancak insan özgürlüğünün en ciddi kanıtı, onu reddedebilmeyi kazanılmış hak sayan anlayışın varlığıdır. Bu durumda, yalnızca usulca konuşarak ikna edebilme şansı olan felsefenin, oylama ile yapılacak bir seçimde çığırtkanlar karşısında kazanma ihtimali zayıftır.

Tercihler yapar ve bunları uygularız. Yapılan ve yapılmayanlar için diğerlerine övgü ve yergilerde bulunuruz, geleceği planlar ve kararlar veririz. Bizim de tıpkı hayvanlar gibi, arzularımız var ama hayvanların aksine biz, seçimler yapabiliyoruz; yapmak istemediğimizi yapmayı ya da istediğimizi yapmamayı seçebiliyoruz. Bütün bunlar, birden çok şeyi yapmakta özgür olduğumuza, yaptıklarımızın seçimlerimiz sonucu olduğuna ve yaptıklarımızdan sorumlu olduğumuza işaret ediyor.

Özgürlüğe olan inanç ilk bakışta her olayın bir nedeni olduğunu ve her olayın bir neden tarafından *belirlendiğini* öne süren bilimsel determinizm [gerekircilik] ile çelişir gibi gözüküyor. Eğer A olayı olduğunda arkasından B olmak *zorundaysa*; A, B'yi gerektirir. Determinizm için verilen alışılmış argüman, neden ile sonuç arasındaki ilişkinin "yasa benzeri" olduğudur. Ancak ikisini ilişkilendiren bir yasa varsa, bir olay bir diğerinin nedeni olabilir. Yasaların da istisnaları yoktur. Bu durumda, eğer elimizde dünyayı tanımlayan doğru bilimsel yasalar ve dünyanın şu andaki durumunun tam tanımı varsa, bunlardan dünyanın gelecekteki herhangi bir andaki durumunun tam tanımını çıkarabiliriz. Dolayısıyla dünyanın gelecekteki herhangi bir ânındaki durumu, tamamen şu andaki durumu tarafından belirlenir. Bu durum benim davranışlarım için de geçerlidir. Bugünkü (ve geçmişteki) durumum verildiğinde gelecekteki herhangi bir anda yapacaklarım katı bir kesinlikle belirlenmiş demektir. O zaman, nasıl özgür olabilirim ki?

Bu açıklamada, modası çoktan geçmiş bir bilim anlayışı varsayılmaktadır. Bilimsel yasalar kesin degildir, istisnaları da vardır. Bu yasalar bize; verili bir durumda, neyin olası olduğunu söylerler. Kuantum mekaniği, evrenin nihai yasalarının olasılıklar cinsinden ifade edilmesi gerektiğini göstermektedir. Dolayısıyla, belli bir nedenden bir sonucun çıkması *gerektiği* hiçbir zaman doğru değildir. Ancak sonucun çok olası olduğunu söyleyebiliriz.

Yine de, bu açıklama sorunu gidermemektedir. Neden ile sonucu birbirine bağlayan yasa, olasılık cinsinden ifade edilse dahi, sonuç yine de neden tarafından üretilmekte, o neden de başka bir neden tarafından üretilmekte, böylece sonsuza *(ad infinitum)* uzanan bir zincir oluşmaktadır. Bu durumda bir olayın nedenleri, kişinin var olmadığı zamanlara kadar uzanmaktadır. Örneğin, adamın hançeri savurması kolundaki kasların hareketi sonucunda, kasların hareketi sinirlerdeki tahrik sonucunda oluşur, bu zincir bu şekilde devam eder. Zincirin sonunda kişinin ötesine, onun olmadığı bir yere ulaşırız. Eğer eyleminin nedenleri onun henüz doğmadığı zamanlara uzanıyorsa, *bu adamın* rolü nedir ki? Bu kişi hangi anlamda başka şekilde davranabilecek biçimde özgürdür?

Yukarıdaki argümanın temel sorunu göz boyamaya çalışmasıdır. Argüman, ispat yükümlülüğünü özgürlüğe inananların sırtına yüklemeye çalışmaktadır. Bizlerin özgür olmadığını kanıtlamak yerine, bizden özgür olduğumuzu kanıtlamamızı istemektedir. Ama özgür olduğumuz bu kadar açıkken ve aksini düşünmemizi gerektiren hiçbir argüman henüz ortada yokken, niye bunu ispat etmek zorunda olalım ki? Hume, özgürlük fikrinin, bir kişiyi takdir ederek ya da onda kusur bularak, eylemin sonuçlarını o kişiye isnat etme çabası sonucunda ortaya çıktığını savunmuştu. Bu fikirde, determinizmi onaylayan ya da reddeden bir şey yoktur; temelleri de bilimin ilerlemesinden etkilenmez. Bizim sorunumuz bir eylemi özgür olarak tanımlarken ne yaptığımızı sormayı ihmal etmemizden ileri geliyor. Ancak ne yaptığımızı bilirsek, bu kavramı gerçekten anlayabiliriz: Bir eylemin özgür olması için bir nedenler zincirinden bağımsız olması gerektiğine inanmak ise ya entelektüel tembellikten ya da yanlış tarafa yönelmiş bir inanma isteğinden kaynaklanabilir.

Peki, bir eylemi özgür diye tanımlarken, tam olarak ne yapıyoruz? Özgür irade problemi kolayca başka bir problem olan, özne ve onun nesneler dünyasıyla ilişkisi problemiyle birlikte ele alınabilir. Eserinde olağanüstü bir sentez gerçekleştiren Kant, sadece transendental öznenin özgür olabileceğini, onun temelde doğa dışı olduğunu ve özgürlüğünün bir bağlılık biçimi olduğunu; nedensel yasalara değil, aklın zorunlu ve ebedi yasalarına bağlılık olduğunu öne sürmüştü. Daha sonra da bu transendental öznenin nasıl doğal dünya içinde hareket edebileceğini, özgürlüğünü burada ve şimdi nasıl dışa vurabileceğini göstermeye çalışmıştı. Başka bir deyişle, başka bir "zaman dışının zamanla kesişimi" noktasına takılmıştı. Sonunda da, özgürlük (özgürlük hakkında düşünmeye karar vermek de dahil olmak üzere) bütün karar verme süreçlerinin önkoşulu olduğundan, özgür olduğumuzu *bildiğimizi* söylemeye meyletmişti. Ancak aynı zamanda, bildiğimiz bu şeyi anlayamadığımızı kabul etmişti çünkü insan anlayışı, aşkınlığın eşiğinde bitiyordu. Bu eşiğin ötesinde olanlar, kavramlarla ifade edilemiyordu; dolayısıyla düşünülemiyordu. Elbette, bu düşünceye verilecek cevap da belli: Problemi açıklamaya çalışarak kavramları kullanmadık mı? Eğer kullanmadıysak, belki de Wittgenstein'ın *Tractatus*'unun son önermesini dikkate almalıyız: "Konuşamadığımız şeyler hakkında susmalıyız."

Söyleyemediğimiz şeyleri anlatmaya çalışan bütün teşebbüsler gibi, Kant da derdini ancak pek çok kitap sayfasına aktararak anlatabilmiştir. Bu çabanın ana fikri söylenmesi imkânsız olan sonuçlara ulaşmak değil, onlara anlaşılabilir bir yaklaşım geliştirmektir. Bu yaklaşımdaki ilk adım, özgürlük kelimesini bir tarafa bırakıp, onun yerine kullanıldığı insan pratiklerine bakmaktır: İnsanları yaptıklarından sorumlu tutma pratiğine. Bir caddede kendi işinize bakarak yürürken birdenbire bir soyguncuyla karşılaştığınızı düşünün. Sizin isteklerinize ve duygularınıza hiç itibar etmeden size yumruk atıp yere serdiğini ve siz yaralarınıza bakarken cüzdanınızı alıp, sakin bir şekilde uzaklaştığını düşünün. Soyguncuyu lanetlemekle kalmaz, etrafınızdakilerle birlikte onu cezalandırmaya çalışırsınız. Öfke duyarsınız ve adamın dışarıda serbestçe dolaşması zorunuza gider. Sizin kayıplarınızdan, yaralanmanızdan, huzurunuzun bozulmasından sorumludur. Kasıtlı olarak sizin acı çekmenize neden olmuş, kendi çıkarı dışında hiçbir şey düşünmemiştir.

Birazcık farklı bir durum daha düşünün: Acil bir iş için gitmeniz gerektiğinden kendi başına kalamayacak kadar küçük yaşta olan çocuğunuzu bir arkadaşınıza emanet ettiniz. Arkadaşınız kötü bir niyeti olmadan ancak içkiyi biraz fazla kaçırdığından, çocuğunuzu yalnız başına bırakıyor, çocuk da sokağa kaçıp, yoldan geçen bir arabanın ona çarpması sonucu yaralanıyor. Bu durumda hiç kimse kasıtlı olarak çocuğunuzun yaralanmasına neden olmamıştır. Ancak yine de arkadaşınız bu durumdan sorumludur. Onun ihmalkârlığı bu felaketin temel nedenidir, görevini ihmal ederek kazayı muhtemel kılmıştır. Görevini ihmal etmesi, yapması gereken şeyleri yapmadığı anlamına gelir. Bu durumda arkadaşınıza kızgın ve kırgın olursunuz; onu aşağılarsınız, evinin önündeki kazadan ötürü onu suçlarsınız.

Bir başka durum daha düşünün: Bir arkadaşınızdan çocuğunuza bakmasını istiyorsunuz, o da sizin çocuğunuza titizlikle bakıyor, ta ki yandaki evden gelen bir çocuk ağlaması duyana kadar. Arkadaşınız, yardım etmese ölecek olan yandaki komşu çocuğuna bakarken, sizin çocuk sokağa çıkıyor ve yaralanıyor. İlk başta arkadaşınızı sorumlu tutarsınız, kızgın ve kırgın olursunuz ancak durumu öğrendiğinizde arkadaşınızın bu koşullar altında doğru davrandığını kabullenir, onda kabahat bulmaktan vazgeçersiniz.

Bu üç örnek bütün insan ilişkilerinde temel olan sorumluluk fikrini açıklıyor. Bir kişinin kasıtlı olarak yaptıklarının yanı sıra, yapmadıklarının sonuçlarından da sorumlu tutulabileceğini gösteriyor. Sorumluluğun mazeretlerle hafiflediğini, ihmalkârlık ve bencillikten kaynaklanan umursamazlık ile arttığını da gösteriyorlar. Eğer ihmalkârlık hukukunu ya da hukuki bir kavram olan "hafifletici nedenleri" inceleyecek olursanız, özgür ve özgür olmayan hareketler arasında yapmaya çalışacağımız bir mutlak ayrımın felsefi ciladan öteye gitmediğini ve bu ayrımın mutlak olmadığını, sadece bir derece farkı olduğunu görürüz. Kişiler daima ahlaki bakımdan hesap verme durumdadırlar ve onlara karşı tavrımız bu durumla biçimlenir. Bu, özgürlük kavramına anlamını veren sosyal pratiğin esasıdır.

İlk olarak gündelik kişisel ilişkilere bakalım: Tanışıklık, dostluk ve işbirliği gibi gündelik hayatımızın bağlı olduğu ilişkilere. Birisi diğerine kasten zarar verirse veya ihmalkârlığı ile zarara neden olursa, zarar gören kişi kızgınlık duyacak, belki de karşılık verme veya intikam alma isteği hissedecektir. Ancak normal ilişkilerde atılacak ilk adım, hatalı davranan kişiyi kınamaktır. Belki hatasını anlayıp sizden onu bağışlamanızı dileyecektir. Belki de zararınızı telafi edecek bir davranışta bulunup hatasının bedelini ödeyecektir. Bu süreç sonunda belki de siz onu bağışlayabilir ve bu noktadan sonra ona karşı kötü hislerinizin kaybolduğunu görürsünüz. Bu süreç hepimiz için oldukça tanıdıktır: Haksızlık, suçlama, itiraf, gönül alma ve bağışlama aşamaları; arkadaşlık, işbirliği ve sevgi ilişkilerinde dengelerin bozulmasında ve tekrar yerine oturtulmasında yaşanan süreçlerdir. Hıristiyanlık, Tanrı ile ilişkimizde de bu süreçlerin temel olduğunu kabul etmektedir. Hatalı davranışta bulunan kişi eğer hatasını kabul etmezse, ilk başta hissedilen kızgınlık ve intikam isteği devam edecektir. Bu durumda hatalı kişi sakin ve barışçıl davranış kalıplarını bir kenara itip, size meydan okumaktadır.

Bu meydan okumayı kabul etmek artık arkadaşlık için değil, adalet için davranmak demektir. Arkadaşlık, uzlaşma, dolayısıyla zararın telafisini gerektirir; adalet için ise karşılık ve ceza istenir. Aynı telafi süreci; uzlaşma olarak da görülebilir, adaletin yerini bulması olarak da. Hangisi olduğunu belirleyen şey hareketin amacını fail ve şikâyetçinin nasıl gördükleridir.

Bu iki süreç de bozulan dengeyi geri getirmeyi amaçlamaktadır. İki durum da ancak davranışları rasyonel diyalogla biçimlenen ve ters düşen kişilerarasında mümkün olabilir. Öteki kişilerle onlar nesnelermiş gibi; hareketlerini belirleyen yasaları araştırarak, davranışlarını tıp ve biyoloji bilimini kullanarak değiştirmeye çalışarak ilişki kurmak her zaman mümkündür. Ancak bu, ahlaki diyaloğun dışına çıkıp, onlara yalnızca bir nesneymiş gibi davranmak, dengeye ulaşan normal yollardan kaçınmak demek olacaktır. İnsanlar birbirlerine bu biçimde davrandıklarında; bunu kötü niyetli, acayip, hatta şeytanca buluruz. Öte yandan, bazı insanlarla da ahlaki diyalog kurmaya çalışmak boşunadır, hareketlerinin başkalarında kırgınlık, öfke ve nefret yaratması onların umurlarında olmaz. Onlara nasıl davranırsak davranalım, hatalarını hiçbir zaman düzeltmezler. Bunu ihtiyaç duymadıklarından ya da kontrol edemedikleri dürtülerle hareket ettikleri için yapmazlar. Buna benzer durumlarda, biz de ahlaki diyalogdan vazgeçip, karşımızdaki kişiyi nesne olarak görme hakkını kendimizde bulmaya başlarız. Bilimsel bilgiyi onun üzerinde kullanma yetkisine başvurur, kötü davranışına çare bulmak için onun rızasını aramaktan vazgeçeriz.

Bu fikir, kırgınlık ve öfke gibi davranış biçimlerinin rasyonel olabilmelerinin nedenlerinden birinin onların diğerleri üzerinde *etkili olmaları* olduğunu öne süren Oxford'lu felsefeci Sir Peter Strawson tarafından başka şekilde de ifade edilmiştir. Normalde, insanlara bu şekilde davranarak (onlarla ahlaki diyaloğa girerek), onları herhangi bir nesnel bilimin yöntemini kullanmaktan çok daha etkili bir şekilde ikna edebiliriz. Strawson, özgürlük ile nedensellik arasındaki çelişkinin *in rem* (nesneler arası) değil; iki tavır arasındaki, yani kişisel ve bilimsel tavırlar arasındaki çelişki olduğunu söylemektedir. Kişilerarası duygu alışverişi, dünyayı etkilemek için herhangi bir insan davranışı biliminin sunabileceğinden çok daha etkili bir yöntemdir. Ancak bazı durumlarda kişilerarası yaklaşım işe yaramamaya başlar. İşte bu durumlarda nedenler aramaya, karşımızdaki insanı kişi olmaktan nesne olmaya indirgemeye, Kant'çı söylemle özneden nesneye dönüştürmeye başlarız.

Şimdi, özgürlük fikrine geri dönelim. Aslında bu kelimeye *ihtiyacımız olmadığını* hemen görebiliriz. Söylemek istediklerimizi sorumluluk, hesap verme ve mazeret gibi daha esnek kavramlar kullanarak her zaman anlatabiliriz. Bunlar, etrafımızdaki insanları ahlaki diyaloğun ortakları olarak gördüğümüzü ifade etmek için kullandığımız fikirlerdir. Bu fikirler anlamlarını; *eylemlerimizin gerekçelendirilmesi*, başkalarına haklar ve yükümlülükler verme, diğerlerini insan toplumunun kuralı olan devamlı ve süregiden diyalog içinde değerlendirme süreçleri içinde kazanırlar.

Artık Kant'ın söylemek istediği söylenemez şeyi anlatma yolunda birkaç adım daha atabiliriz. Birisini bir durumdan sorumlu tuttuğumuzda, mutlaka onun davranışlarının bu duruma neden olduğunu ima etmemiz gerekmez. Ayrıca birisini kasıtlı olarak yaptığı her şeyden de sorumlu tutamayız (çünkü mazeretler sorumluluğu azaltabilir). Bir olaydan doğan sorumluluk hükmü, bir kişinin o olaydaki davranışlarına değil, doğrudan o kişiye verilir. Bir bakıma o kişiyi hüküm için celbeder, çağırırız. Bu durumda neden kelimesini kullanırsak, buna özel bir anlam veririz. Olayın nedeni *davranışlarınız* değil, olayın nedeni *sizsiniz* demek isteriz. Başka deyişle, neden kelimesi iki olayı birbirine değil, bir *kişiyi* bir *olaya* bağlar ve onu bu olaydan *sorumlu* tutar.

Ancak bu bağ nasıl kurulabilir? Nedensellik ne zorunlu, ne de yeterli gibi gözükmektedir. Üstelik, kişi ile sadece onun şu ânı ya da geçmişi arasında nedensellik bağı kurulması yeterli olmamaktadır. Geleceğiniz için sorumluluk üstlenebilirsiniz ve bu sorumluluk varsayımı diğer kişilere, ortaya çıkabilecek sonuçlar ışığında sizi övme ya da yerme hakkı verir. Nedensellik ilişkisinin tersine, sorumluluk ilişkilerinin tartışılması mümkündür. Rasyonel diyalog sayesinde bir kaza sonucu ortaya çıkabilecek sorumluluğun azalmasını veya artmasını sağlayabiliriz. Kişinin bir olayla ilişkisi olay sırasında veya herhangi bir zamanda değil, sadece olay yargıya getirildiğinde belirlenir. Sorumluluk hükümleri de sadece bundan ibarettir: Herkesin kendi haklarını talep etmekte eşit olduğu, aklın taraf tutmayan muhakemesine başvuran hükümlerdir bunlar. Sorumluluklar hakkında verilen hükümlerin nesneleri nesnelere değil, nesneleri öznelere bağlayan ve diğer özneler tarafından başka bir alanda değerlendirilen hükümler olduğunu söylemek mümkün.

Daha önce, kişisel tavır işe yaramadığında, insanlara karşı tavırlarımızın kişilerarası olmaktan çıkıp bilimsel bir tavra doğru kaydığından bahsetmiştim. Aynı kayma, kendimiz hakkındaki tavrımızda da ortaya çıkabilir. Şu diyaloğu ele alalım:

A: Karın seni terk etti, şimdi ne yapacaksın?
B: Dağcılığa başlayacağım.
A: Neden?
B: Hayat tadını kaybettiği zaman kendini tehlikeye atmak iyidir.

B, bir karar vermiş ve bunu destekleyecek gerekçeler bulmuş. Samimiyetini bundan sonraki davranışları gösterecek. Eğer dağcılık gibi tehlikeli bir uğraşa başlamazsa, sözleriyle davranışları arasında uyum olmadığı ortaya çıkacak.

Ancak bir de diyaloğun şu şekilde gerçekleştiğini düşünün:

A: Karın seni terk etti, şimdi ne yapacaksın?
B: Sanırım içmeye başlayacağım.
A: Neden?
B: Sanırım benim yapım böyle.

Burada B bir karar ifade etmemiş, sadece bir öngörüde bulunmuştur. Bu öngörüsünü rasyonel bir gerekçeyle değil, bir kanıtla desteklemektedir; yani, bir şey yapmak için değil bir şeye inanmak için bir neden göstermektedir. B'nin geleceği hakkındaki tavırları bu iki örnekte açık biçimde çok farklıdır. İkinci örnekte, kendine, sanki başka birisinin geleceği söz konusuymuş gibi, kendisinin bu gelecekte hiç payı yokmuş gibi, dışarıdan bakmaktadır. Bir karar verdiğimizde kendi geleceğimizi tasarlar, kendimizi sorumlu tutar, geleceğe *kendimizin* bir parçası gibi bakarız. Dahası, B'nin dağcılığa başlama kararı aldıktan sonra dağcılığa başlayacağını nereden *bildiğini* soracak olursak, "Böyle karar almış" demekten başka verilecek bir cevap bulunamaz. B'nin bu konudaki bilgisi hiçbir şeye dayanmaz, sadece bilinçli kişiliğinin ifadesidir. Ancak ikinci örnekte, içmeye başlayacağını nereden bildiğini soracak olursak; bu sorunun cevabı, kullandığı kanıtta bulunabilir. Bir öngörüde bulunurken bir hata yapabilir. Ama bir karar verdiği zaman, hataya yer yoktur; eğer eyleme geçmezse, bunu başka biçimde, ya samimiyetsizlikle ya da kararını değiştirmesiyle açıklamak gerekir.

Bu ayrım, rasyonel varlığın özünün tam da temeline inmektedir. Sadece geleceği öngören ancak hiçbir zaman karar vermeyen kişi, diğerleriyle kurulan diyaloğun dışında kalır. Dünyada sadece bir nesneymiş gibi sürüklenir; zaten kendisini de tam da böyle görür. Sadece karar veren kişiler ahlaki diyalog içinde kalabilir ve diğerleriyle kişi olarak ilişki kurabilir. Onların yanında sürüklenmez, duygulanmalarında diğerleriyle kendinin bilincinde olan bir varlığın diğeriyle ilgilendiği biçimde uğraşır. Kendisi için sadece öngörüde bulunabilen kişi kendini bir nesne gibi görür oysa karar veren kişi kendini özne olarak değerlendirir. Bir önceki cümledeki önerme hiç de zorlama değildir. Burada, Kant'ın söylemek istediği söylenemez şeye daha da yakınlaşmış durumdayız: Ben, hem doğa içinde bir nesneyim, hem de onun dışında bir özneyim. Özne olarak nesneye teslim olduğum zaman özgürlüğümü kaybederim.

Belki de bu noktada bir eşiği geçmeden durabiliriz. Belki de kendimizi ve diğer kişileri içi farklı biçimde görebileceğimizi söylemek yeterli olacaktır: Nedensellik yasasına bağlı, doğanın bir parçası olarak; veya içinde davranışlarda bulundukları dünyanın sorumuluğunu üstüne alan kendi bilincinde aktörler olarak. Ama bu iki bakış açısı o kadar farklıdır ki, ikisinin birbiriyle nasıl bir ilişkisi olabileceği konusu her zaman bir problem olarak kalacaktır. Üstelik de bu problem tıpkı zaman dışının zaman ile ilişkisi gibi zorlu olacaktır. Dahası, bu noktada ortadaki sorunun bilim ile felsefenin karşılıklı meydan okuması olduğunu ve büyüsü bozulmuş günümüz dünyasında bile "felsefenin tesellisinin" nasıl var olabildiğini görebiliriz. Felsefe yaparak, insan eylemini, bilimin içine sıkıştırdığı nedensellik ilişkileri ağı dışına çıkarıp kurtarabiliriz. Bize rasyonel varlıklar olarak vazgeçilmez biçimde gerekli olan ancak dünyanın bilimsel anlayışında hiçbir yeri olmayan bazı kavramları fark etmiş bulunuyoruz: Kişi, özgürlük, sorumluluk ve özne gibi; bilim tarafından nasıl görünürsek görünelim, içinde bulunduğumuz dünyaya davranışlarımız için uygun biçim veren ve birbirimize nasıl göründüğümüzü anlatan kavramlar bunlar.

İnsanların dünyası bu türden kavramlarla kurulur. Birbirimize olan tavırlarımız birbirimizi ne şekilde kavramsallaştırdığımıza dayanır. Birisini ancak yaptığından ötürü sorumlu tutarsanız ona kızgınlık duyabilirsiniz, bu da ona bu bölümde tartışmakta olduğumuz kavramları uygulamak anlamına gelir. Sevgi, hoşlanma, hayranlık, hoşlanmama, küçümseme gibi kişilerarası tavırların hepsi bu kavramlar sistemine dayanır ve bahsettiğim tavırlar bizler ve dünyadaki mutluluğun temeli için gerekli olduğu sürece, bu kavramlar vazgeçilmezdirler. Elbette ki, her şey için olduğu gibi insanları değerlendirmek için de bilimsel yaklaşıma başvurabilirim. Kitabın birinci bölümünde göstermeye çalıştığım gibi, bilimin doğasında görünüşleri süpürüp, onların altındaki ve durumu açıklayan gerçekliği ortaya çıkarma çabası vardır. Kişilerarası tavırlarımızın dayandığı olguların açıklanması, görünüşler dünyasından çok daha farklı bir dünyayı tanımlayacaktır. Böyle bir dünya bizim kişilerarası ilişkiler için istediğimiz biçimde kavramsallaştırılamaz. Eğer benim için John hakkındaki temel olgularım onun biyolojik bünyesi, bilimsel özü, nörolojik oluşumu ise; ona karşı kızgınlık, sevgi, küçümseme veya üzüntü gibi insani duyguları duymakta zorlanırım. Onu böyle tanımladığım zaman, benim için kişilerarası tavırların "yönelmiş" nesnesi olmaktan, *anlaşılabilen* kişi olmaktan uzaklaşır ve benim için anlaşılmaz olmaya başlar.

Bir önceki bölümde kutsal kavramını ve bu kavramın temelindeki duyguları tanımlamıştım. Kutsal duygusunun insanlarda bulduğumuz anlamın nesnelerde (yerlerde, zamanlarda, cisimlerde, tapınaklarda, toplantılarda, hac ziyaretinde veya dualarda) da bulunabileceği olgusuna dayandığını öne sürmüştüm. Nesneler dünyasında bu özne ile yüz yüze geliş bizim için bir eve dönüştür; bütün akıl sahibi varlıkların kaderi olan metafizik yalnızlığın aşılması demektir. Bilimsel dünya anlayışındaki hiçbir şey kutsal deneyimini yadsımaz, bilim bize sadece bütün deneyimler gibi, bu deneyimin de doğa dışı olmadığını, doğal nedenleri olduğunu söyler. Anlam peşindeki kişiler nedenlerle ilgilenmeyebilirler. Tanrı ile dua yoluyla ilişki kuran kişiler, nesneler dünyası içinde Tanrı'nın bulunmadığını bildikleri zaman onunla olan bağları kopmaz. Tıpkı sevdiğimiz kişilerin sözlerinin, hareketlerinin, gülümsemelerinin sadece etin hareketi olduğunu bildiğimiz zaman onlarla bağlarımızın kopmadığı gibi. Ancak bilimsel dünya anlayışının çok tehlikeli ve cazibeli bir yönü vardır: Bizi özneyi bir mit, bir uydurma olarak görmeye çağırır, dünyayı tek bir cepheden, sadece nesneler dünyası olarak görmeye davet eder. Bu büyüsü bozulmuş dünya, aynı zamanda yabancılaşmanın dünyasıdır.

Geçmişte insan dünyasının bilim yoluyla yeniden yaratılması yönünde çabaların ortaya konulmuş olduğunu unutmamalıyız. Marx'ın tarih teorisi ve Nazi bilimi çok kötü bilim örnekleridir. Ancak bu teoriler, insanlık durumunun bilimsel görüşünün tarihte ilk defa iktidara gelmesini sağlamışlardır. İnsanlar doğal yasalara boyun eğen nesneler olarak görülmüş; mutluluklarının bu konuda uzman kişilerin buyruklarına uymaları yoluyla garanti edileceği zannedilmiştir. Bu teoriler kendi müminlerine Tanrı'nın öldüğünü, insandaki ilahi kıvılcımın da söndüğünü ilan etmişlerdir. Onlara göre, insan özgürlüğü sadece yüzeydeki bir görünüştür, alt kısımlarda ise amansız bir nedensellik bizlere tamamen kayıtsız olarak hüküm sürmekte, bizleri ilgisiz kılmakta ve aynı biçimde ölüme doğru sürmektedir, ölümün ötesinde ise hiçbir şey yoktur.

Kutsal duygular bizleri dokunulmaması gereken şeylerin varlığı konusunda uyarır, onlara dokunmak, nesneler dünyasında bir kapı açmak, Tanrı'nın benliği ile karşı karşıya gelmek gibi bir şeydir. Kutsallığı yıkan dünya anlayışı bu duyguyu yok eder ve en önemli yasaklarımızı kaldırır. Nazi ölüm kamplarını anlatırken, Hannah Arendt (*Eichmann in Jerusalem** kitabında) kötülüğün "sıradanlaştırılması"ndan bahseder. Kötülüğün "kişiliksizleştirilmesi" ya da kişisel sorumlulukla bağının koparılması tabirleri burada daha yerinde olacaktır. Totaliter sistemler ve bu sistemlerin en bariz ifadesi olan ölüm kampları, hiçbir şeyin kutsal olmadığı inancının vücut bulduğu yerlerdir. Bu tür sis-

* Hannah Arendt, *Kötülüğün Sıradanlığı-Adolf Eichmann Kudüs'te*, Çev. Özge Çelik, Metis Yay., 2010. (y.h.n.)

temlerde insan hayatı yeraltına sürülür, özgürlük ve sorumluluk fikirleri -ki bu fikirler olmadan insanın ahlak sahibi bir özne olması durumu tamamen parçalanır- toplumsal kabul görmez ve idari süreçlerde yer almaz. Böyle sistemlerde insanları imha etmek kolaydır, insan hayatı toplumsal hayata baştan imha edilmiş olarak, sadece diğer nesneler arasında diğer bir nesne, insan biliminin uzmanları tarafından ele alınması gereken bir şey olarak katılabilir.

Geçmişimizde Nazi ve komünist deneylerinin gerçekliği olmasaydı bile, elimizde Orwell, Huxley ve Koestler'in, insan hayatı bilime teslim edildiğinde dünyanın kaçınılmaz olarak neye dönüşebileceği konusunda bizi uyaran edebi eserleri var. İnsanları nesneler olarak görmek, onları oldukları gibi görmek değil; birbirleriyle kişiler olarak ilişki kurdukları görünüşleri silerek onları değiştirmek demektir. Bu, kişiliği olmayan bir insan, özne ile nesnenin birbirinden uzaklaştığı, özne çaresiz rüyalar görürken nesnenin yıkıma gittiği yeni bir yaratık yaratmak demektir. Bu yüzden, gerçek anlamda bir insan bilimi var olamaz: Birbirimiz için ne ifade ettiğimizi araştıran, bizi birbirimizle kişiler olarak temas ederken inceleyen bir bilim olamaz. Bundan sonraki bölümlerde bunun neden böyle olduğunu daha ayrıntılı olarak göreceğiz.

9
Ahlak

İnsanlar karşılıklı saygı içinde yaşayan ve uyuşmazlıklarının müzakere ve anlaşma yoluyla çözen rasyonel varlıklar topluluğu düşüncesini ifade eden ahlaki yasalara uymak durumundadırlar.

Kant bize tüm rasyonel varlıklar için yasa haline getirilmesini isteyebileceğimiz kurallara uygun davranmak durumunda olduğumuzu söyler; rasyonel varlıkları asla sadece araç değil, daima amaç olarak görerek davranmamız, bütün rasyonel hedeflerin uzlaştığı bir amaçlar âlemininin gerçekleşmesi maksadıyla hareket etmemiz gerekmektedir. Kant'ın "formel" olarak adlandırdığı oldukça soyut ilkelerin neden oldukları işlemler ve davranış biçimleri, bu ilkelerden daha önemlidir. Kişilerin, anlaşmazlıklarını çözümlemek için kıymetli ve doğada benzeri olmayan bir yöntemleri vardır. Birbirlerini özgür varlıklar olarak tanıyabilme, verdikleri kararların sorumluluğunu alabilme yetenekleri, kendi türlerine karşı hakları ve görevleri vardır. Özgürlük, sorumluluk, hak ve görev fikirleri; ahlaki oyundaki her bireyin sadece bir oyu yönünde ortaya konulmayan bir varsayımı içermektedir. Bu şekilde düşünerek, her kişinin ahlaki düzenin eşsiz ve kendine yeterli bir üyesi olduğunu onaylarız. Kişinin hakları, görevleri ve sorumlulukları kendi kişisel tasarruflarıdır. Bunları yerine getirmek ya da onlardan vazgeçmek sadece onun seçimi olabilir; eğer görevlerini yerine getirmezse sadece kendisi bundan sorumlu tutulabilir. Bu böyle olmazsa, Kant'ın tabiriyle "ahlaki yasa"nın toplumda birbirine yabancı olan insanların arasında genel bir mutabakat sağlamak olan amacını yerine getirmek mümkün olmaz.

Kant'ın da söylemiş olduğu gibi, ahlaki yasanın mutlak bir karakteri vardır. Haklar rastgele çiğnenemez veya onları görmezden gelmenin olası kazancına karşı değerlendirilemez. Görevler rastgele olarak ertelenemez ya da sonuçlarının kötü olması yüzünden iptal edilemez. Çatışan menfaatlerimiz olsa da sizin haklarınıza saygı duymak zorundayımdır, bu haklardan sadece siz feragat edebilir ya da vazgeçebilirsiniz. Haklar kavramının önemi de buradadır; amacı bir saldırıya karşı mutlak bir engel sağlamaktır. Bir hak, özel koruması olan ve sahibi olan kişinin rızası olmadan çiğnenemeyen veya iptal edilemeyen bir menfaat türüdür. Bir menfaati hak olarak tanımladığımızda, onu çıkar ilişkilerinde yapılan faydacı değerlendirmeden çıkarıp benliğin ihlal edilmemesi gereken sınırları içine sokarız.

Benzer biçimde bir görev, eğer var olacaksa, mutlak bir niteliğe sahip olmalıdır. Bir görevden ancak bir görev olmaktan çıktığı zaman; yani ya yerine getirildirildiğinde ya da iptal edildiğinde vazgeçilebilir. Haklar ve görevler birbiriyle çelişebilir, bu türden çelişkilerin bu kadar zorlu olmalarının nedeni, çözümlenemez olmalarıdır. Böyle durumlarda, hakları tartıp daha önemli olduğuna inandığımız hakka öncelik tanımaya çalışırız. Açlıktan ölmekte olan Henry'nin hayatını kurtarmak için John'a ait olan yemeği alıp Henry'e vermek gibi. Henry'nin yardım edilme hakkı John'un mülkiyet hakkının önüne geçer ancak Henry'nin imdadına yetişen bu yardım aslında John'a haksızlıktır ve John'un hakkı bakidir. Buradaki sorunlar derin ve karmaşıktır. Ancak şu kadarını söyleyebiliriz: Hak ve görev kavramlarını bu mutlak niteliklerinden yoksun bırakmak, onları faydasız kılmak demektir. Bunu yaparsak aklın bize sağladığı en yüksek vasıtadan; sayesinde başkalarıyla onların özgürlüğüne, bireyselliğine ve kendilerine ait olan hayatlarına egemen olmalarına itibar ederek yaşadığımız araçtan vazgeçmiş oluruz. Bir insanı araç değil amaç olarak görmek demek; son tahlilde, onun bize karşı hakları, bizim ona karşı görevlerimiz olduğunu; ne hakların ne de görevlerin başka bir fayda yüzünden iptal edilemeyeceğini kabul etmek demektir. Kısacası ahlaki yasa, insanlara nesne değil özneler olarak davranılmasını emretmektedir. Bu da onların haklarına itibar etmek ve görevlerimizi yerine getirmek anlamına gelir.

Ancak ahlaki yasanın gündelik müzakerelerimizdeki önemi, bizlere ahlakın sadece bir kurallar sistemi olduğu varsayımına ulaştırmamalıdır. Ahlaki bir toplum müzakere ile biçimlenir ancak hayatı ve canlılığı bakımından daha birçok unsura dayanır. Özellikle de onu oluşturanların birbirine bağlılıklarına, birbirlerinin iyiliği için içten gelen fedakârlıklar yapmalarına dayanır. Her bakımdan ahlaki yasa ile düzenlenmiş; haklar, görevler ve adaletin bütün ilgi ve bağlılıkların önüne geçtiği bir toplum var olsaydı, onu oluşturan sıradan insanları yabancılaştırır ve kısa zamanda çökerdi. Böyle bir toplum tanıdıklarla yabancılar, dost ile yaban arasında ayrım yapamaz. İnsanların ahlaki yasanın sağlayacağı güvenliğe ve müzakere alışkanlığına ihtiyaçları vardır. Öte yandan bir şey daha isterler; bu da, onları birbirine bağlayan, ortak bir gelecek yaratan; insanların birbirinin keder ve neşelerini paylaşmasını sağlayan sevgi ve duygudaşlık bağlarıdır.

Bütün görevlerini hassasiyetle yerine getiren, haklarından fazlasına tenezzül etmeyen, başkalarının haklarına saygıda çok dikkatli olan titiz birisine saygı duyabiliriz ama böyle birisi eğer sevgiden yoksunsa onu gerçekten sevemeyiz. Sevgi; kuralları eğip bükmeye, sevdiklerimiz uğruna haklarımızdan feragat etmeye, görevlerimizin ötesinde işler yapmaya, bazen de bazılarını adil olmayan biçimde kayırmaya neden olabilir. Aynı durum sempati duygusu için de geçerlidir. Sempati, benliğimizden yayılan ve uzaklaştıkça küçülen dalgacıklar gibi etrafa yaydığımız bir tür genel sevgi türüdür. Sempati sonucu oluşan davranışlar, ahlaki yasanın emirlerinden kaynaklananlara benzeyebilir ancak başka bir saikten, bizler için ahlaki yaşam kadar gerekli olan başka bir şeyden kaynaklanırlar. Ahlaki varlık sadece kurallarla yönetilen, haklar ve görevler oyununu doğru oynayan birisi değil; aynı zamanda, onu ahlaki yaşama hazır hale getiren ve kurallarını geliştiren ve değiştiren, belirgin bir duygusal karakter sahibidir. Böyle bir insan gelişmiş bir anlayışa sahip; sevgi, hayranlık, utanç ve benzer birçok toplumsal duygu ile hareket eden birisidir.

Dolayısıyla, ahlaki varlıkları sadece davranışları ile değil, aynı zamanda saikleri ve karakterleri ile de değerlendiririz. Ahlaki yasanın yeterli bir saik olmadığını bildiğimiz için, onun hükümlerine ancak duygu ve karakterimiz de desteklerse uyarız. Suçluluk, pişmanlık ve utanç duyguları bizim zayıf yanlarımızın ortaya konmasına engel olurken; övgü, hayranlık ve beğenilme duyguları bağlılığımızı güçlendirir. Çevremizdeki sempati ağı ahlaki kararlarımızı güçlendirdiği için bu sosyal duygulara ihtiyacımız vardır. Bilinçli olarak kabul etmesek de, sosyal düzenin sadece yasalarla sürdürülemeyecek kadar ince ve nazik bir yapısı olduğunu biliriz. Düzene karşı olan iç ve dış tehditler ancak insanlar onlara karşı koyacak cesarete sahip oldukları zaman caydırılabilirler. Karakter güçlülüğü, duygusal denge ve yaşayan insani sempatiler gibi özellikler insanların bir hedefte ısrarcı olmalarına, fedakârlıkta bulunmalarına ve kendilerini başkalarına adamalarına yardımcı olurlar. Kötülük ile fazilet arasında yapmakta olduğumuz hayati önemdeki ayrımın kökeni de buradadır. Ahlak, ahlaki yasaya uymanın yanı sıra fazilet peşinde olmayı ve kötülükten kaçınmayı da içerir.

Beğenilen erdemler, aynı zamanda toplumu dış tehditlerden ya da iç çürümeden koruyan özelliklerdir. Bunlar cesaret, tehlike durumunda azim, özel hayatta sadakat ve incelik, kamusal hayatta adalet ve hayırseverlik gibi özelliklerdir. Farklı zamanlarda ve koşullarda bu özelliklere yapılan vurgu değişebilir. Erdemler de değişik maddi, ruhani ve dinî koşullar altında farklı biçimlenebilir. Yine de insanların beğenisini kazanan özelliklerin değişmezliği, yerel değişimlere göre daha önemlidir. Antikçağların erdemleri olan ve Hıristiyan hayırseverliği ve pagan sadakatiyle anlamı genişleyen cesaret, basiret, bilgelik, ölçülülük, adalet gibi değerler; günümüzde de insani faziletin esas fikirlerini oluşturmaya devam etmektedir. Bu özellikleri takdir eder, sevdiklerimizde bulunmasını ister, kendimizde de görülmesini arzularız.

Bu tür özelliklerin ortaya çıkması için sosyal bir çevre gereklidir. Bunlar bir vücut geliştiricinin kasları ya da münzevi adamın çilesi gibi solipsist başarılar değildirler. Erdemli karakter yalnızca insanların beğeni ya da küçümseme durumu içinde ortaya çıkar, erdemler sadece bir toplum içinde düzgün olarak ortaya konur ve doğru olarak anlaşılabilirler. Ancak bu sosyal durum aynı zamanda bir duygusal durumdur, duygular ise dünyanın olduğu haline değil, anlaşıldığı haline yönelik tepkilerdir. İnsanlar ve hayvanlar dünyayı farklı biçimlerde anlarlar. Hayvanların aksine, bizler için dünyada haklar, zorunluluklar ve görevler vardır; dünya kendinin bilincinde olan öznelerin dünyasıdır. Olaylar, özgür iradenin olduğu ve olmadığı, gerekçeleri veya sadece nedenleri olan; rasyonel bir özneden kaynaklananlar ve rasyonel bir katılım olmadan nesneler arasında gerçekleşenler olarak ikiye ayrılırlar. Dünyayı böyle düşündüğümüzde; olaylara kızgınlık, içerleme, kıskançlık, beğeni, sorumluluk, erotik sevgi gibi diğer hayvanların repertuarındaki duyguların ötesinde tepkiler veririz. Bu tepkilerin hepsinde de karşımızdakini hakları, görevleri, geçmişi ve geleceği hakkında kendinin bilincinde bir görüşü olan, özgür bir özne olarak algılarız. Sadece ahlaki varlıklar bu duyguları hissedebilir, bu durumda kendilerini bir şekilde doğa düzeninin dışında konumlar, hüküm vermek için onun dışına çıkarlar.

Ahlaki varlıkların sempatileri de bu doğal düzenin dışına çıkmanın izlerini taşır. Bir at, sürüsü koşmaya başlayınca koşar; bir koku duyduğu için heyecanlanan av köpeği bunu diğer köpeklere iletir; bir keklik yavrularını korumak için onlara saldıran tilkinin önüne çıkar. Sıradan bir gözlemci bu davranışları başkalarınının duygu ve çıkarlarını dikkate alan bir tür sempati ifadesi olarak görebilir. Ancak bu davranışlarda can alıcı bir şey eksiktir: *Diğerinin ne hissettiği düşüncesi.* Bahsettiğim durumların hiçbirinde (ki bunlar hayvani sempatinin üç temel örneğini oluştururlar) hayvanın davranışını açıklamak için bu çok özel düşünce biçiminin varlığı varsayımına başvurma gereği duymayız. Bu düşünce tarzı, ben ile öteki arasındaki ayrımı ve ötekinin *benim duyduğum hisleri duyabileceği gerçeğini* tanıyan ahlaki varlıklara özgüdür. Sahibinin hasta olmasından üzüntü duyan bir köpek bile bu düşünceden yoksundur. Köpeğin duyduğu şey şefkat değil endişedir: Hayatına yardımcı olan varlığın zayıflamasından duyduğu endişe.

Sempati duygularımızın iki tanesinin ahlak açısından büyük önemi vardır: Acı çekenlere karşı duyduğumuz merhamet ve diğerinin neşesinden duyulan sevinç. Bu iki duygu da insani erdemin birer parçası olarak kabul edilirler. Hem merhametsiz hem de sevinçsiz insanlar bizde itici duygular uyandırırlar. Nietzsche'nin merhamet duygusuna ve bir parçası olduğu varsayılan sürü ahlakına saldırdığı doğrudur. Ancak insanların çoğunluğu, haklı olarak, söylediklerine ikna olmamışlardır. Merhamet ve neşe birbirini tamamlayan duygulardır. Başkalarının acılarına ortak olmadan onların sevinçlerini paylaşamazsınız, sevincin neşeye dönüşmesi için diğerlerinin sempatisine ihtiyaç vardır. Neşeli bilgeliği savunan ancak merhamete daha yüksek bir yaşamın düşmanı diye kara çalan bir felsefede derinden çelişkili bir şeyler olması gerektiğini düşünüyorum.

Gerçekten de, bu duygulara gerek bireysel gerek toplumsal açıdan baktığımızda onların insani iyiliğin vazgeçilmez öğeleri olduğunu görmezden gelemeyiz. Sempati, karşı sempati uyandırır: Bizi kendine çeker ve sosyal bağlarımızı geliştiren iyi niyet ağını yaratır. Merhametsiz ve sevinçsiz insanlar aynı zamanda sevgisizdirler, birini severlerse bu katı, bildiğinden şaşmaz, bağlandığı kişiyi yok etmekle tehdit eden bir bağdır. Bu tip insanları tuhaf ve tehlikeli bulduğumuzdan onlardan kaçınırız. Merhametsiz birinin öfkesinden, sevinçsiz birinin arkadaşlığından korkulur. Sosyal düzeni sürdürenler merhametsiz ve sevinçsiz insanlar değildir, tam aksine bunlar diğerlerinden taşan sempatiyle beslenirler ve bu yüzden onları kolayca affetme hatasına düşeriz. Nietzsche, merhamet duygusunu zayıf ve dejenere kişileri kayırdığı için mahkûm etmişti. Aslında merhamet, facaların üstesinden gelip kendini iyileştirme kapasitesine sahip her toplumun gerekli bir parçasıdır. Savaşta olduğu kadar, barışta da vazgeçilmezdir. Çünkü insanların tanımadıkları kişilerle beraber bir afeti paylaşmalarını, ortak düşmana karşı öfke ve intikam hissi duymalarını sağlar.

Ahlaki düşüncemizde ahlaki yasa ve sempatinin yanı sıra bunların kapsamını genişleten bir başka bileşen daha vardır. Anlamı kutsal şeylere saygı duymak demek olan bu kavrama

Romalıların kullandığı terimi ödünç alarak *pietas** diyeceğim. *Pietas*, yani edep, ebeveynlerimize ve ecdadımıza, gündelik Tanrılara, yasalara ve kamu düzenine değer vermeyi, toplumdaki festival ve genel törenlere uymayı gerektirir. Bu şeylerin bize kutsal olarak bahşedilmiş olması kendi yaratımız olmayan bu şeylere karşı sırrına erişilmesi mümkün olmayan bir şükran borcu duymamızdan kaynaklanır. Her türlü ahlaki duyarlığın altında derin bir edep duygusunun yattığını düşünüyorum. Bu duygu açıkça dinî inanca dayanmaz ve her ne kadar doğrudan kabul etmese de hiçbir ahlaki varlık bu duygudan kaçamaz. Faydacılar edep duygusunu sadece ahlaki düşüncenin kalıntıları olarak görebilirler; ancak son iki bölümün argümanlarının gösterdiği üzere, bu duygular hiç de kalıntı değildir. Basitçe ifade edersek; edep, zaaflarımızın ve diğerlerine bağımlılığımızın derinde kabulu anlamına gelir. Bize miras kalan sorumluluğu tek başımıza taşıyamayacağımızı onaylamak, var olduğumuz için şükran duymak, bağlı olduğumuz dünyaya saygı, dünyaya gelişimizi ve gidişimizi sarmalayan anlamadığımız gizeminin kabulü... Bütün bu duygular doğanın muhteşemliği karşısında duyulan tevazuda bir araya gelir. Bu tevazu da ahlakın tüm tohumlarının atıldığı verimli topraktır. Anlatmaya çalıştığım üç ahlaki yaşam tarzı -kişilere saygı, erdem ve doğal sempati arayışı- da son tahlilde edep duygusuna dayanırlar. Edep, insanlara eğitilmeyi ve uyum sağlamayı telkin eder, ahlaki davranışı -ki sayesinde kendi yalnızlığımızın dışına çıkabiliriz- açık bir biçimde çekici kılan kendi küçücüklüğümüzü bilmemizi sağlar.

Edeplilik, hepimiz onu hissedebilecek akla sahip olduğumuzdan ötürü rasyoneldir. Varolan kutsallara saygısızlığı engellediğinden toplum için yaşamsal önemde bir değerdir. Yine de edep ve hürmet duygusu, hiçbir açık anlamda *akla karşı sorumlu* değildir; akıl yürütmenin sona ermiş olduğu, başka bir bölgenin sınırlarını çizer. Pek çok ahlaki tavır ve duygu için de aynı şeyin geçerli olduğunu düşünüyorum: Onlara sahip olmak en yüksek rasyonelliği gösterse de, kendileri akla karşı

---

* *Pietas* sözcüğünün tam karşılığı "takva" olmakla beraber, bunun kullanımının yaygın olmaması nedeniyle "edep" sözcüğünü kullanmayı daha doğru buldum. (ç.n.)

sorumlu değildirler. Onları akla hesap verir kılmaya çalışmak ise sadece ahlakın, faydacılıkta gördüğümüz türden gülünç bir karikatürünün ortaya çıkmasına neden olur.

Bu söylediklerim, basit ifadesiyle, birbirimizin önyargılarını kabul etmemiz gerektiği anlamına gelmiyor. Tam aksine, insanlar bir mutabakata ulaşamaz, görüşlerini ve duygularını deneyim ışığında başkaları ile uyum sağlayacak biçimde düzeltemezlerse ahlak başarısız olmuş demektir. Öte yandan, ahlaki sorunları kesin ve açık olarak çözebilecek bir karar yönteminin bulunmasını beklemek de yanlış olur. Bu türden konularda aklın işlevi, sezgilerimizi netleştirmek, sorumluluklarımızın doğasını ve kapsamını tanımak ve önyargılarımızı tersine çevirmek için destek kuvvet olarak kullanabileceğimiz mutabakat noktalarını aramak için çalışmak olmalıdır.

Hume, eğer bütün gerçeklere sahip olsaydık, belki de doğal sempati duygusunun bizlerin bütün hükümlerimizde uyuşmamızı sağlayabileceğini düşünmüştü. Ancak edep ve tutkularımızın tarihsel karakteri onları yaratan koşullarla karışmış bir şekilde var olmaları anlamına gelmektedir. Bu durumda, onları bu koşullardan koparıp evrensel yasalar haline dönüştürmeye çalışmak ancak onları köklerinden ve hayati güçlerinden koparmakla mümkün olur.

Yine de, Aydınlanma Dönemi'nden beri, ahlaki düşüncenin edep ve hürmet fikrinden uzaklaştığı ve enerjisinin çoğunu kişilere saygıyı esas alan soyut meşru fikirlere harcadığı doğru. Bu gelişmenin pek çok nedeni var, benim amacım bunları incelemek değil. Ancak yağma, aşırı üretim ve çevrenin tahrip edilmesi gibi sonuçların tek bir nedenden, edep duygusunun yok olmasından ötürü gerçekleştiğini düşünmek mantıksız olmaz. Ruhumuzun ne kadar derininde saklanmış olursa olsun, edep ve hürmet, ahlaki bilincimizin gereksiz bir parçası değil; tam aksine, en değerli sosyal duygularımızın kaynağıdır. Dünyaya, geçmişine ve geleceğine saygı duymamızı sağlayan, bu dünyadan gitmeden elimize geçen her şeyi yağma etmemizi engelleyen şey, akıl değil edeptir.

Hayatta ve sanatta insan formunu yüceltmemizi sağlayan şey de edeptir. Belki de insan olmayan ahlaki varlıklar (melekler, şeytanlar ve Tanrılar) vardır. Ama bizler onlarla doğrudan ilişki kuramayız. İnsan formu dışında ahlakın hiçbir açık *suretine* sahip değiliz. Fil, yunus ve şempanzelere duyduğumuz yakınlık hisleri, insan yüz ve ifadesinin bizler için çok etkileyici olan otoritesinin yerini alabilecek kadar güçlü değildirler.

"Merhametin insani bir kalbi var,
Şefkatin insani yüzü,
Ve kutsal insan biçiminde sevgi,
Ve insan elbisesinde barış."

Blake'in sözleri hepimizde varolan ve sadece kusursuz sanat eserlerine değer vermeyi değil insanları onlardan yüce görmeyi de sağlayan edep ve saygı pınarında süzülüyor. Bütün insanların takdir ve sevgiye değer olduğunu söylemek istemiyorum, tam aksine. Ama bir bakıma her insan dokunulmazdır. Bütün insanlığı sarmalayan kutsal bir yasak vardır çünkü kutsal insan biçimi nesneler dünyasının üstünde duran ve onları değerlendiren insan öznesinin elimizdeki yegâne suretidir.

Bu anlattıklarımdan, ahlaki argümanın dört ayrı kökeni olduğu sonucu çıkıyor: Ahlaki yasayla beraber kişilik, erdem ahlakı, sempati ve son olarak edeplilik. Ahlaki problemlerimizin çoğu ve zor durumlar bu dört çeşit düşünce tarzının birbiriyle çelişmesinden kaynaklanır.

İnsanların ahlak ve kişilerarası ilişkiler konularında kendiliğinden anlaşmaya varma eğiliminde olduklarını anlamak için Kant'ın olağanüstü kategorik imperatif çıkarımını kabul etmek gerekmiyor. Kendi çıkarlarımızı bir kenara koyduğumuz ve insani konulara tarafsız bir hâkim gözüyle baktığımız anda, herhangi bir anlaşmazlıkta haklı ve haksız taraflar konusunda hemfikir olmak zor olmaz. Felsefi temeli ne olursa olsun, pratik düşüncenin aşağıda verilen ilkeleri her makul insan tarafından kabul edilecektir:

1. Bir kişiyi haklı ya da haksız çıkaran düşünceler, koşulların aynı olması durumunda, başka birini de haklı ve ya haksız çıkarmalıdır (ahlaki eşitlik ilkesi).

2. Haklara saygı duyulmalıdır.
3. Yükümlülükler yerine getirilmelidir.
4. Akit ve sözleşmelerde verilen sözler tutulmalıdır.
5. Anlaşmazlıklar kaba kuvvetle değil rasyonel argümanla çözülmelidir.
6. Başkalarının haklarına saygı göstermeyen kişiler, kendi haklarını kaybederler.

Kant'ın kategorik imperatifinden çok önceleri filozoflar, bu ilkeleri bütün hukuk sistemlerinin üstünde olan ve onların geçerliliğini sınayan bir "doğal yasa" olarak yazıya geçirmişlerdi. Bu ilkelerin bazıları uluslararası hukuka doğrudan dahil edilmiştir –özellikle dördüncü ilke *(pacta sunt servanda)**–. Bu ilkeler, kaba kuvvet veya hile ile değil uzlaşma ile yaşadığımızda, yabancılarla gündelik ilişkilerimizin idaresini, hak ve görevlerimizi denetleyen yöntemler olarak belirginleşirler.

Bu ilkeleri maddi ve gerçek olarak değil yöntemsel (ya da Kant'ın tabiriyle formel) olarak görmemiz uygun olur. Bu ilkeler bizlere hak ve görevlerimizin ne olduğunu söylemezler, yalnızca bir çıkarı hak, bir kararı da görev olarak tanımlamanın ne anlama geldiğini söylerler. Yine de bu yöntem yerli yerinde olduğu sürece –insanlar uyuşmazlıklarını hak, görev ve sorumlulukların tahsisiyle çözme alışkanlığı içinde oldukları sürece– hak ve görevlerimizin ne olduğu sorusu tartışmaya açık bir konu değildir. Problemlerimizi hepimizin anlaşacağı yollarla çözmek zorundayız. Medeni hukuk, bu tür akıl yürütmenin genişletilmiş biçiminden başka bir şey değildir. Eğer bütün anlaşmazlıklara başkalarının anlaşmazlığıymış gibi, tarafsız bir hâkimin gözüyle bakarsak, anlaşma yollarını bulmakta zorlanmayız. Bunun neden böyle olduğu konusu, Kant ve Hume'un bu konuda birbirine zıt cevaplar verdiği derin bir soru olmakla beraber, bunun böyle olduğu açıktır.

Rasyonel varlıklar olan insanlar, tarafsız yargıç konumunu benimsedikleri zaman yukarıda belirtilen ilkeleri destekleseler de; kendi çıkarları söz konusu olduğunda ve durum tersine

* (Lat.) Ahde vefa: Milletlerin katıldıkları uluslararası anlaşmaların kurallarına uymak zorunda olduklarını belirten kanundur. (y.h.n.)

döndüğünde, bu ilkeler çerçevesinde davranacakları anlamına gelmez. Ancak insanlarda yerleşmiş, oturmuş olan karakter ve eğilimler, açgözlülük, kişisel çıkar ve korku gibi ayartmaların üstesinden gelmelerini sağlayabilir. Bu eğilimleri desteklemek ve geliştirmek akla uygun olur, bunun akla uygunluğu ise ahlaki yasayı savunan ve doğrulayan düşüncelerle benzer türdendir. Sadece adil kişi kendi çıkarları ile çelişse de tarafsız bir hükme uygun davranabilir; sadece cesur kişi başkaları alay ederken ahlaki yasayı destekleyebilir; sadece ölçülü kişi hak ve görevlerini isteklerinin üstünde görebilir. Bu örnekleri çoğaltabiliriz. Kısacası, geleneksel erdemler, bize hak ve görevlerin hesabını onaylayan bir ahlaki akıl yürütme çerçevesi sunarlar. Ahlaki yasayı kabul etme gerekçelerimiz, insanlarda erdemleri yerleştirme ve geliştirme gerekçelerimizle aynıdır.

Bizi ahlaki bir topluluğun üyesi olmaya hazırlayan geleneksel erdemlere, bir de sempatiden kaynaklanan daha geniş ve esnek erdemleri eklemeliyiz. Hıristiyan hayırseverliği [caritas, yani altrüizm ya da diğerkâmlık] bu türden erdemlerin en önemlisidir. Felsefi açıdan, diğerkâmlık kendini diğerinin yerine koymak ve ona yardım için harekete geçmek demektir. Diğerinin acısından acı, sevincinden sevinç duyma eğilimidir.

Bu da rasyonel bir saiktir; eksikliği halinde ahlaki bir topluluk en hayati güç kaynaklarından birinden, birey de toplumun üyeliğinin en önemli ödülü olan karşılıklı ilgi halinde diğerleriyle verme ve alma ilişkisinden yoksun kalır.

Ancak burada faydacı düşünce biçimleriyle haklar düşüncesi arasında potansiyel bir uyuşmazlık ortaya çıkmaktadır. Hayırseverlik içgüdüsü, gördüğü her yerde acı ve sevinç ile özdeşleşme eğilimindedir ancak bu durumların bolluğu karşısında hepsine yetişemediği için faydacı biçimde akıl yürütmek zorunda kalmaktadır. Tıpkı bir kişinin kendi hayatında yapmaya çalıştığı gibi, hayırseverlik de genel olarak sevinci azami düzeye çıkartmayı, acıyı da asgari düzeye indirmeyi amaçlar. Ancak bu düşünce biçiminin ahlaki bir topluluk için dayanak oluşturan daha gelişkin akıl yürütme biçimiyle çelişmesi kaçınılmaz olmaktadır. Kişileri faydacı hesaplarımın nesnesi olarak ele alamam. Kendilerinin rızasını almadan, Elizabeth ve Mary'nin toplam acısını azaltmak için John'a bile bile acı çektiremem. Özgürlükleri ve ahlaki bir topluluğun üyeliği onların alanına girmeyi yasakladığı için, tam da bundan ötürü, insanlara haklar isnat ederiz.

Kısacası faydacı akıl yürütme, ahlaki yaşamın dayandığı sempatinin doğal bir ifadesi de olsa, aklımız bu düşünce biçiminin seçici biçimde ve ahlaki yasanın oluşturduğu çerçevede kullanılmasını talep eder. Öncelikle; hak, görev ve sorumluluk problemlerinin çözülmesi gerekir, faydacı akıl yürütme ancak bunların sonrasında geçerli olabilir. Birkaç örnek bu durumu daha anlaşılır kılacaktır: Diyelim ki John böbrek yetmezliği çekiyor ve onunla aynı kan grubunu bir tek Henry paylaşıyor. Henry'nin vereceği bir böbrekle John normal ve sağlıklı bir yaşam sürdürebilir, öte yandan bir böbreğini vermek Henry'nin yaşamını çok da kısıtlamaz. Henry'i bir böbreğini vermeye zorlamalı mıyız sorusunu soracak olursak yukarıdaki düşünce biçimi ile akıl yürütmek tamamen alakasız kaçacaktır. Henry'i böyle bir şey yapmaya zorlamaya hakkımız yoktur, bu ahlaki gerçek anlaşıldığı zaman bütün akıl yürütme rafa kalkmak zorundadır.

Diyelim ki, hem Elizabeth hem de Jane'de nadir görülen bir hastalık var ve Jane'in kocası William büyük paralar harcayarak bu hastalığa şifa sağlayacak yegâne ilacın gerekli dozunu satın almış. Bu dozun hepsini Jane'e verirse %90 ihtimalle onun hayatının kurtulmasını sağlayacak, öte yandan bu dozu ikiye bölüp diğer yarısını Elizabeth'e verirse ikisinin de hayatının kurtulma şansı %60 olacak. İlacın bölünmesini destekleyecek olan faydacı hesap biçimi burada yine alakasız kaçacaktır. William'ın karısına karşı özel bir sorumluluğu vardır ve başka bir yabancıya yardım etmeden önce bu sorumluluğa karşı görevini yerine getirmelidir.

Diyelim ki Alfred bir kamyon sürücüsü ve kamyonun bakımı ile onarımından o sorumlu değil. Kamyonu sürerken frenlerin çalışmadığını fark ediyor. Eğer direksiyonu sağa kırarsa otobüs durağındaki bir adamı öldürecek, düz giderse yaya geçidindeki iki yayaya çarpacak, sola kırarsa kamyonuyla bir grup çocuğun içine dalacak. Bu durumda, faydacı hesap biçimi uygun olmaktadır ve Alfred bu biçimde düşünüp *davranmazsa* suçlu olacaktır. Direksiyonu sağa kırarak felaketin insani bedelini en aza indirgeyebilir ve kendini ölecek kişinin sorumluluğundan aklayabilir. Frenlerin bozulmuş olmasından Alfred sorumlu tutulamaz, bu sadece onun başına gelmiş olan bir talihsizliktir. Böyle bir durumda ana görevi, ortaya çıkacak olan durumda insani ızdırabı en aza indirgemeye çalışmak olacaktır.

Bu türden örnekler faydacı düşüncenin, ahlaki yasanın yerini almak ya da onunla yarışmaktansa, bu yasanın sessiz kaldığı durumlarda ve sadece sempati önemli olduğunda bize yol gösterici olmak olan gerçek amacını ortaya koyuyor. Dolayısıyla faydacı akıl yürütme hayvanlarla -özellikle de bakma sorumuluğunda olmadığımız hayvanlarla- ilişkilerimizde birincil düzeyde önemlidir. Yine de faydacı hesabın Bentham'ın umduğu matematiksel kesinliğe erişebileceğini zannetmemeliyiz. Hayatın değerini hesaplayabilecek bir formül, bir canlının acısının ciddiyetini, sevinç ve mutluluğunun derecesini ölçecek bir alet yoktur. Faydacı akıl yürütme, verdiğim örnekte Alfred'in düşünme tarzıdır: Mümkün olduğu takdirde sayılarla (örnekte Alfred hayatı tehlikede olan insanları saymak durumundadır); ya da eğer böyle olsaydı genel olarak daha iyi olurdu biçiminde ahlaki *Gestalt*'ın takdiri yoluyla. Bu düşünce tarzını ekonometrik bir hesaba dönüştürmek isteyenler, ahlaki sorunları belirleyici özelliğinden ayırıp, başka türden sorulara, örneğin; tercih sırlaması, optimizasyon veya minimizasyon, risk ve belirsizlik durumlarında rasyonel seçim problemlerine dönüştürmek istemektedirler. Ahlaki soruları ekonomik yöntemlerle çözülebilecek biçimlere soktuğumuzda onları çözülme yoluna sokmuş olmayız, aksine ahlaki seçimin zor gerçekliği yerine uzmanların çözebileceği hayali bir problem yaratmış oluruz. Ahlaki problemlerin çözümleri gerçekten de karar teorisi ile bulunacaksa, bu çözümleri insanların büyük çoğunluğu bulamayacak demektir. Bu durumda da ahlak, hepimize rasyonel diyalog sayesinde sağladığı hayata yol gösterici niteliğini kaybeder.

Son olarak, bir de edeplilik katmanı var. Daha önce gösterdiğim üzere, edep rasyoneldir ancak akıla karşı sorumlu değildir. Bütün edep ve hürmetini rasyonalize etmeye çalışan birisi, aslında bir anlamda onları kaybetmiş demektir. Bu alanda umabileceğimizin en fazlası Rawls'ın "düşünümsel denge"* ismini verdiği şeyin bir türü olacaktır. Bu durum, edebimiz daha eleştirel düşüncelerle ilişkilendirilip bir miktar değiştirilirken, bu süreçte rasyonel hükümlerimizin de edebimizden bir miktar etkilenmesi olarak tanımlanabilir.

Ahlakın saikleri karmaşıktır. Eğer doğanın dışında, onun zorunluluklarından bağımsız, ölümsüz varlıklar olsaydık ahlaki yasa, ahlak için yeterli bir saik oluşturabilirdi. Gelgelelim, bizler ölümlü ve ihtiraslı varlıklarız, ahlak bizim onayımızı kazandığından bizler için vardır. Aynı duyguları paylaşma, erdem sevgisi ve kötülük düşmanlığı, edep ile dindirilen çaresizlik ve bağımlılık hissi, sosyal oluşumların ortaya çıkardığı ve sakin bir kutsal irade takdiri ile alakası olmayan bir sürü hissiyat gibi birçok şey bizleri motive eder. Dolayısıyla çatışmalar ve ikilemler ortaya çıkar. Faydacılığın çekiciliği, ahlaki yargıları bir tür ekonomik hesap olarak yorumlayarak bu çatışmaları çözme umudu sağlamasındadır. Ancak bu ümit aldatıcıdır, dahası bu umuda bel bağlamak bize itici gelir. O zaman, ahlaki çatışmalar nasıl çözülebilir? Özellikle de ahlaki yasa bir yönü, sempatilerimiz bir başka yönü işaret ettiğinde ya da erdem ahlakının edep ahlakıyla çatıştığı durumlarda -Agamemnon'un durumunda olduğu gibi- ne yapmamız gerekir?

Birincisi, eğer söz konusu durumda ahlaki yasa uygulanabilirse, onun önceliği olduğunu belirtmek gerekir. Çünkü ahlaki yasanın varoluş şartı budur. Eğer bir hak, ona sahip kişiyi güvence altına alabiliyorsa o kişiyi koruyabilir demektir. Haklar bu noktadan sonra diğer görevlerini yerine getirebilirler ve kişilerarasında ahlaki diyalog başlayabilir. Ahlakın müzakere ve rızaya dayanan bir topluluk yaratmak olan asli işlevi, hak ve görevlerin diğer çıkarlar uğruna feda edilememesini gerektirir.

Ancak haklar ve görevler de birbiriyle çatışabilir. Ortaya çıkan durum bir ikilem yaratır. Bu ikilemin en belirgin özelliği şudur: İki şeyi birden yapma göreviniz varken sadece birini yapabilirsiniz. Göreviniz ikilem tarafından iptal edilmiş olmaz, yalnızca görevi yerine getirmemenizin bir mazereti vardır.

---

* (Lat.) Reflective equilibrum. (y.h.n.)

Hak ve görevlerin gerekleri mümkün olduğunca yerine getirildiği zaman, erdemin gereklerine yönelmek gerekir. Ahlaki yasanın bir davranışı ne yasakladığı ne de ona izin verdiği durumlarda "Erdemli bir kişi böyle bir şeyi yapar mı?" sorusu hâlâ geçerlidir. Örneğin, kürtaj savunucularının düşündüğü gibi, insan fetüsünün haklarının olmadığını, ona karşı belirli görevlerimizin de olmadığını düşünsek de, bir fetüse istediğimiz her şeyi yapabileceğimiz sonucuna varma yetkisine sahip olmamalıyız. Yine de bir fetüse yapılabilecek şeylerin bazılarının korkunç olduğu durumlar olabilir ve gözüken o ki bu durumlar sık sık ortaya çıkıyor. Fetüsün ahlaki yasanın korumasının dışında olduğuna ikna olsak da, iyi bir kişi ona ancak belli bir yaklaşımda bulunmayı aklına getirebilir.

Son olarak, hak ve erdemlerin bütün gerekleri yerine getirildiğinde, sempatilerimizin çağrısına yönelebiliriz. Burada, bizim davranışlarımızdan etkilenen kişilere sempatilerimizi yayma aracı olarak bir tür faydacı düşünce tarzı devreye girer. Bu durumda bile, bu akıl yürütme biçiminin yetkisi mutlak değildir çünkü sempatilerimiz edep ile çekişebilir. Bu durumda, edep ve hürmetimizi sempatilerimizle kıyaslayarak rasyonel hale getirir, sempatilerimizi de edebimizden kaynaklanan sezgilerimizle ölçerek düzene sokarız.

Ahlaki akıl yürütmenin dört kaynağının bu biçimde sıralanması sorgulanabilir ve sonucunda pek çok soruyu çözümlenmemiş bırakabilir. Yine de bu yöntemin gündelik vicdani davranış tarzımıza ve ahlakın altında yatan amaca uygun olduğuna inanıyorum. Yüz yüze olduğumuz temel problem, ahlaki hükümlerimizi gerekçelendirmekten çok, onların dayandığı kavramları gerekçelendirmektir. Bu problem, modern felsefenin de merkezî sorusudur ya da öyle olmalıdır: İnsani dünyanın anlamı ne olabilir?

10
Cinsellik

Cinsellik, insanda hayvani ve kişisel olanın birleştiği; bilimsel ve kişisel bilgilerin çatışmasının en şiddetli biçimde hissedildiği alandır. Dolayısıyla cinsellik bize, her ciddi ahlak felsefesi ve her tutarlı insan dünyası teorisi için bir sınama imkânı sunar.

19. yüzyılın sonlarına kadar, erotik sevginin bir parçası olarak değerlendirmek dışında seks hakkında konuşmak hemen hemen imkânsızdı. Bu durumda bile cinsel isteğin kendine özgü özelliklerinden bahsetmek geleneklere uygun değildi. Sonunda Krafft-Ebing ve Havelock Ellis gibi yazarlar, yaygın bir doğal olguya bilimsel bir yaklaşım sunduklarında bu yasak kaldırılabildi. Bilimin itibarı o kadar yüksekti ki, onun adına yürütülen herhangi bir araştırma, cinsel deneyimin gerçekleriyle yüz yüze gelme isteksizliğini aşmaya yeterli oluyor ve güçlü bir sosyal kabul görebiliyordu. Sonuçta, modern zamanlarda cinsel deneyim hakkındaki tartışmalar bilimci üslup ile yapıldı. Ancak bilim, doğası gereği cinselliği kişilerarası ilişkiler alanından ayırıp nesneler arasında bir ilişki olarak yeniden modellemek durumundaydı. Freud'un şoke edici açıklamaları, insanlık durumu hakkındaki tarafsız, "bilimsel" gerçekler olarak ortaya konuldu ve günümüzde hemen hemen standart hale gelen bir anlatım tarzı kullanarak yapıldı. Freud'a göre, cinsel isteğin amacı üreme organlarının çiftleşme adını verdiğimiz biçimde birleşmesi sonucunda cinsel gerilimin azalması ve cinsel içgüdünün açlığın doyurulmasına benzer bir doyumla geçici olarak sönmesi idi. Cinsel isteğin bu aşırı bilimsel tasviri, zaman içinde

günümüzde insanların bu konuda gözünü açmada kullanılan standart metalardan olan Kinsey raporunun ortaya çıkmasına neden oldu. Kanımca tamamen yanlış olan bu rapor ancak cinsel duygularımızı etkileyip başka türden duygulara dönüştürebildiği takdirde doğruluk kazanabilir.

Cinsel haz tam olarak nedir peki? Yeme içmenin hazzına benzer bir şey midir? Sıcak suyla doldurulmuş bir küvette uzanmanın hazzına? Çocuğunuzu oynarken seyretmenin hazzına? Açıktır ki, cinsel haz, bunların hepsine hem benzer, hem de benzemez. Yemenin hazzına benzemez çünkü nesnesi tüketilip yok olmaz. Küvette uzanmaya benzemez çünkü faaliyetin *kendisinden* ve size katılan diğer kişiden haz almayı gerektirir. Çocuğunuzu seyretmeye benzemez çünkü bedensel duyumları ve fiziksel isteğe boyun eğmeyi kapsar. Ancak cinsel haz, can alıcı bakımdan bir şeyi seyretmekten alınan hazza benzer: İki durumda da yönelimsellik söz konusudur. Cinsellik sadece bir yerlerde duyulan ürperme hissi değildir, bir kişiye ve onunla beraber giriştiğiniz eyleme verilen bir tepkidir. Diğer kişi sizin hayalinizde de olabilir; ancak düşünceleriniz o kişiye yöneliktir, duyduğunuz haz da düşünceye dayanır.

Düşünceye dayanır olması, cinsel isteğin yanılabileceği ve yanılgı anlaşıldığı anda yok olacağı anlamına gelir. Sıcak suyla dolu bir küvette yatarken, birisi suda asit olduğunu söylerse banyodan hemen dışarı çıkarım ama bunu bedenimde haz veren hisler duymadığım için yapmam. Oysa cinsel arzu durumunda istemediğim bir elin bana dokunmakta olduğunu anlamam, arzumu o anda yok eder. Daha önceden reddettiğim kişiden bilmeden haz almış olmam o kişinin şimdiye kadar bilmediğim cinsel erdemleri olduğu anlamına gelmez. Kocası kılığına giren adamla karanlıkta sevişen kadın tecavüze uğramış demektir, hatasını anladığı zaman bu kadın intihar edebilir. Sahtekârlıkla elde edilen rıza, rıza değildir, bu kadına kendisine haz veren eylem ile tecavüz edilmiştir.

Bir isteği, cinsel arzu yapan şey uyarılma bağlamında gerçekleşmesidir. Uyarılma cinsel organların büyümesi ile aynı şey değildir. Bu ötekine eğilim göstermek, cinsel eylem yönünde bir hareket gerçekleştirmektir. Bu durum ona temel olan düşüncelerden de, yol açtığı arzudan da ayrı tutulamaz. Uyarılma öteki kişinin kendinin bilincinde varlık olarak benim farkımda ve hazır olmasına, hakkımda maksatlı olmasına verilen tepkidir. Bu durum tutkulu okşamalarda ve bakışlarda açıkça belli olur. Bir kişiyi ona yakınlık duyduğumuz için okşarsak bunu onu temin etmek için, öteki kişinin bilincine ona yakın alaka duyduğumuz bilgisini yerleştirmek için yaparız. Tutku ile yapılan okşama böyle değildir, karşımızdakinin bedeninin *çerçevesini çizer*, karşımızdakini sadece temin eden değil, bedenini araştıran bir tatlılıkla sarmalarız. Ötekinin bedeninin yüzeyini ilgimizin bilinci ile doldurmaya çalışırız; bu ilgi sadece bedene değil, bedendeki kişiye de yöneliktir. İlgimizin bilinci, diğerinin hazzının odak noktasıdır. Sartre (*L'Être et le Néant** kitabında) okşamayı, ötekini bedene büründürme olarak tanımlar. Okşamanızla bedene ruh (nesneye özne) sağlıyor ve onu hissedilebilir kılıyor gibisinizdir.

Okşama ve okşanma, karşılıklı bakışma ile aynı farkındalıkla yapılır. İki durumda da *epistemik* bir unsur (beklenti ve keşfetme unsuru) vardır. Durum böyle olunca, insan yüzünün cinsel ilişkilerde en ağır basan ve en önemli yer olmasına şaşmamak gerekir. Oysa cinselliğin aşırı bilimsel anlayışında bunun neden böyle olduğunu açıklamak oldukça zordur: Nasıl oluyor da yüz, başka yerlerde haz arayışına girip girmeyeceğimiz konusunda belirliyici güce sahip oluyor? Ama tabii ki, yüz insan öznelliğinin resmidir: Benliğin ışığı ile ışıldar ve diğer kişi bedeninin içindeki benlik olarak arzulanır. Sapıklık ve müstehcenlik sadece beden ve onun hareket mekanizmalarını önemsediği için öznenin gölgede kalmasına yol açar. Müstehcenlikte beden içinde yaşayan benlik geçirgenliğini kaybeder, anlaşılmaz olur. İşte bu yüzden cinsel müstehcenlik kadar şiddetin de müstehcenliği söz konusudur.

Bir okşama kabul edilir ya da reddedilir: Her iki durumda da bu, karşımdakinin bana yolladığı mesajın okunması sonucunda olur. Bu mesajı açıkça bir şeyin ifade edildiği bir hareket olarak değil, karşılıklı bir keşif, senin benim farkında olmanın

* Jean-Paul Sartre, *Varlık ve Hiçlik*, Çev. Turhan Ilgaz & Gaye Çankaya Eksen, İthaki Yay., 2009. (y.h.n.)

gitgide daha fazla farkında olma süreci olarak alırım. Dolayısıyla ilk uyarılma tepkisinde, kişilerarası tavırlarda temel olan bir karşılıklılık zincirinin başlangıcı vardır. Kadını kavrayan adamı, kavrayan kadını, kavrayan adamı... *Ad infinitum* (sonsuza kadar) değil ama iki kişi birbirlerinin bedenlerinde tamamen var olduklarını karşılıklı olarak tanıyana kadar.

Demek ki, cinsel uyarılmanın epistemik ve kişilerarası bir yönelimselliği vardır. Diğer bireyin kendini açmasına ve onu keşfe dayanan, karşılıklı ve beraberce bedene sahip olma deneyiminin yüceltilmesine bağlı olan bir tepkidir. Ötekinin ötesine, etraftaki dünyaya yönelmiş değildir, idare edecek kadar iyi olan başka bir kişiye de devredilemez. Cinsel uyarılmanın kökeninde, nesneden nesneye uçuşan genel şehevi düşünceler olabilir elbette. Ancak bu düşünceler uyarılma deneyimine yoğunlaştığı zaman, genel olma nitelikleri bir tarafa bırakılır. O noktadan sonra önemli olan, öteki ve onun bedenidir. Sadece öteki değil, ben ve bedenimin gerçekliğinin onun perspektifinden değerlendirilmesi hissi de önemlidir. Dolayısıyla uyarılma, normal durumda, sadece ötekine ilgi duyacağım tenha ve gizli bir köşede bulunmayı gerektirir. Uyarılma özel olmayanı *dışarıda bırakmaya* çalışır. Özellikle de ne sen, ne de ben olan üçüncü şahsın bakış açısını dışarıda bırakmak ister.

Kitabın sekizinci bölümünde öznenin nesneler dünyasında yer almasının bazı yollarını araştırmış; yönelimsellik ile geleceği kestirmek ve gelecek için karar vermek arasındaki ayrım üzerine büyük vurgu yapmıştım. Ancak öznenin sadece *iradeli* tavırlarda ortaya çıktığı varsayılmamalıdır. Aksine, istenmeyen ama tahmin edilebilen ve de sadece kendinin bilincinde olan varlıklara özgü olan davranış biçimleri de vardır. Yüz kızarması bunun bir örneğidir. İstem dışı olmasına ve fizyolojik açıdan sadece kafaya kan akışının artışı ile açıklanabilir olmasına rağmen, yüz kızarması karmaşık bir düşüncenin ifadesi ve benliği görünür kılan bir harekettir. Yüzümün kızarması, senin karşında kim olduğumun ve ne hissettiğimin sorumluluğunun istem dışı onayıdır. Senin bakışın altında olduğumun ve bedenimin içinde gizlenemediğimin onayıdır. Yüzün kızarması, hem ötekinin bakış açısını somutlaştırdığı, hem de o bakış açısının bana karşı ilgili olduğunu göstermeye yaradığı için çekicidir. Aynı şey tedbirsiz bakışlar ve gülümsemeler için de geçerlidir. Bu tavırlarda diğer özne, bedeninin yüzeyinin dışına çıkıp kendini görünür kılar. Gülümseme, yüzün kızarması, kahkaha atma, ağlama gibi durumlar sırasında tam da bedenim üzerindeki kontrolümü kaybedip, onun benim üzerimde kontrol kazanması sonucunda vücut bulmuş bir kişi olma deneyimini yaşarım. Bu tür durumlarda beden bir alet olmaktan çıkar, bir kişi olarak doğal haklarını öne sürer. Bu tür ifadelerde yüz sadece bir beden parçası değil, tam bir kişi olma işlevini görür: Benlik yüzün yüzeyine yayılır ve "ete bürünür".

Yukarıda, bedene bürünmüş kişiyi tanımlamak için kulandığımız kavram ve kategoriler insan bedeni biliminin kullandıklarından çok farklıdır. Bilimde gülümsemenin, yüz buruşturmadan; utançtan yüz kızarmasının, heyecandan yüz kızarmasından; yan bakmanın, doğrudan bakıştan ne farkı vardır? Yüzünün rengini kızarmış olarak tanımladığımda, seni sorumlu bir kişi olarak görür, utanma ve kendinin farkında olma durumu içine yerleştiririm. Eğer cinsel arzuyu insan biyolojisinin kategorileri içine yerleştirmeye kalkarsak, cinsel duyguların yönelimselliğini, onun somutlaşmış özneye yönelmiş olduğunu gözden kaçırırız. Bu durumda ortaya çıkacak olan karikatür arzuyu değil sapıklığı ifade edecektir. Freud'un cinsel arzu tanımı, bildiğimiz ve uzak durduğumuz (veya uzak durmaya çalışmamız gereken) bir şeyin tanımıdır. Bir erkeğin ya da kadının cinsel organları üzerinde yoğunlaşan ve yüz, eller, ses ve duruşun karmaşık ilişkilerini dikkate almayan bir heyecan, sapıklıktır. Arzudan yönelimselliği çıkarıp, onu her zaman bir fiyatı olan cinsel meta alışverişi aramaya dönüştürür.

Arzunun yönelmişliğinin bir tarafı *belli* bir kişiyi nesnesi olarak görebilmesidir. Jane için yanıp tutuşan birisine, "Onun yerine Henrietta'yı al, aynı işi görür" demek saçma olacaktır. Bu durumda, kimliklerin karışması olasılıkları ortaya çıkmaktadır. Yakup'un Rahel'e duyduğu arzu Lea ile geçirdiği geceden sonra yatışmıştı, Jacob yattığı kişinin Rahel olduğunu tahayyül ettiği sürece (Eski Ahit-Yaratılış 29, 22-25, bu küçük dramın Thomas Mann'ın *Joseph und seine Brüder** kitabındaki mükemmel tasvirine de bakın). Cinsel duygularımız *bireyleştirici düşüncelere* dayanır: İstediğim kişi sensin, başkası değil. Bu bireyleştirici yönelmişliğin tek dayanağı istediğimizin kişiler (başka deyişle bireyler) olması değildir. Ötekinin sadece bir beden değil, somutlaşmış, bedene bürünmüş bir özne olarak arzu edilmesine de dayanır. Buradaki ayrımı, arzu ile açlık arasındaki farkı (ki bu ayrımı Freud açıkça reddetmişti) görerek daha iyi anlayabilirsiniz. Yenilebilecek tek şeyin insanlar olduğu, bu insanların yenilirken hiç acı duymadığı ve yendikten sonra hemen yeniden ortaya çıkabildikleri bir dünya olduğunu varsayalım. Açlığın giderilebilmesi için ne kadar çok formalite ve mazeret gerekirdi değil mi? İnsanlar açlıklarını diğerlerinden saklamayı öğrenirlerdi, aç bakışlarla baktıkları kişilerin onlara rıza göstereceklerini varsaymaktan vazgeçerlerdi. Bir yemeği, yemeğin rızası olmadan yemek suç haline gelirdi. Belki de bu dünyada evlilik en iyi çözüm olurdu. Yine de bu durum, cinsel arzunun bizi içine yerleştirdiği konuma hiç benzemezdi. Açlık, açlığın doğasından değil yiyecek bir herhangi kişi bulamamaktan kaynaklanırdı. Açlık, ötekine sadece bir nesne olarak yönelirdi, benzer başka bir nesne diğerinin işini görebilirdi. Nesnesini bireyselleştirmez ya da ihtiyaç dışında bir birliktelik önersinde bulunmazdı. Oysa cinsel ilgiler bu tür bir biçim aldığı zaman karşıdaki insan için derin bir aşağılama anlamına gelirler. Her halükârda bu ilgi sadece yöneldiği kişinin onurunu değil yönelten kişinin de onurunu zedeler. Cinsel arzu, özneler arasında bir ilişki önerisinde bulunduğu için iki tarafı da kendileri adına hesap vermek durumunda bırakır. İstenmeyen öneriler, yöneltileceği kişi tarafından yasaklanabilir; bu sınırı geçmek ise kirletilme olarak hissedilir. Tecavüzün çok ciddi bir suç olması da bu yüzdendir: Kurbanın özgürlüğünün bağlı olduğu yere yapılan bir istiladır, öznenin sürüklenerek nesneler dünyasına çekilmesidir. Cinsel arzuyu Freud'un ve takipçilerinin yaptığı gibi aşırı bilimsel biçimde tanımlamaya kalkarsanız, tecavüzün kirlenme ve aşağılanma hissi yaratmasını açıklamak imkânsız

* Thomas Mann, *Yusuf ve Kardeşleri*, Çev. Zeki Cemil Arda, Hece Yay., 2006. (ç.n.)

hale gelir. Esasen, insanların cinsel davranışları hakkındaki hemen her şeyi açıklamak imkânsız hale gelir; sadece "büyü bozmanın çekiciliği" diye adlandırabileceğimiz şey insanları bu uçuk kaçık tanımlamaları gerçek sanmalarına yol açabilir.

Cinsel arzunun yönelimselliği konusu, üzerine kitap yazılabilecek bir konudur. Bu kitabı geçmişte yazmış olduğum için* burada sadece birkaç noktaya değinmekle yetineceğim. Umudum, felsefeyi işe en çok yaradığı alanda kullanarak, insan dünyasını uyduruk bilimin aşındırıcı etkisinden korumaya çalışmak. Gerçek cinsel arzuda amaç ötekiyle birleşmektir, öteki dediğimiz de benim davranışlarım hakkında belli bir bakış açısına sahip, belli bir kişidir. Bu amaçtaki karşılıklılık, ortak uyarılma ortamında gerçekleşir ve uyarılmanın kişilerarası karakteri, istenen birleşmenin doğasını belirler. Her cinsel arzu, tarafı olan kişiyi bağlar; onu ifade etmek ya da ona teslim olmak, benliğin tehlikede olduğu ya da olabileceği, varoluşsal bir seçimdir. Bu yüzden, cinsel eylemin etrafının yasaklarla sarılmış olması şaşırtıcı değildir; çünkü bu eylem sevinç ve mutluluğun en yüksek noktalarının yanı sıra, utanç, suçluluk ve kıskançlık duygularının ağırlığını da beraberinde taşımaktadır. Bu kadar etkili bir gücün doğru anlayışından doğabilecek olan bir ahlakın insanları bu konuda tamamen serbest bırakması düşünülemez ve *Sexual Desire* kitabımda göstermeye çalıştığım üzere, bir anlaşmaya değil bir yemine dayanan tekeşli heteroseksüel birleşmenin norm sayıldığı geleneksel ahlak, yaşanan duruma bütün diğer olabilecek seçeneklerden çok daha fazla duyarlılık göstermektedir.

Eğer günümüzde geleneksel ahlakın bu konudaki anlamını görmek o kadar zor oluyorsa, bunun nedenlerinden birisi, insanların cinsel davranışlarının seksoloji denilen uyduruk bilim tarafından yeniden tanımlanmış olması ve sonuç olarak kişilerarası yönelimsellikten mahrum bırakılmış ve tamamen ahlaktan bağımsız bir konuma yerleştirilmiş olmasıdır. İnsan dünyasını bu biçimde tanımladığımız zaman, onu değiştirmiş de oluruz. Her şeyi anlama yetkisine sahip olma arzusuyla

* Roger Scruton, *Sexual Desire, A Philosophical Investigation*, Phoenix, Londra, 1994. (ç.n.)

biçimlenmiş olan yeni cinsel duygu biçimleri ortaya çıkarırız. Cinsellikle ilgili törenler yerini cinsel pazara bırakır; ortaya çıkan sonuç da cinsel metaların fetişizmi olur. Örneğin, Richard Posner, değersiz ama etkili olmuş olan *Sex and Reason* [Seks ve Akıl] isimli (aslında Seks ve Araçsal Akıl diye isimlendirilmesi daha doğru olacak olan) kitabının birinci bölümüne şu cümleyle başlıyor: "Temelde cinsel organların harekete geçmesiyle ilgili olan bir cinsel davranış vardır." Oysa cinsel davranış aslında; kur yapma, arzu, aşk, kıskançlık, evlilik, üzüntü, sevinç ve entrikalarla ilgilidir. Harekete geçme sadece cinsel organların değil, tüm kişinin harekete geçmesidir. Cinsel organlar ise bir arzu nesnesiyle olduğu kadar bir otobüs yolculuğu ile de (eğer bu kelimeyi kullanmak durumundaysak) "harekete geçebilir". Bununla beraber, eğer cinsel davranış ahlakını maliyet-fayda analizinden (anlaşılan Posner akıl derken bunu kastetmektedir) türeteceksek Posner'in arzu tanımının bu şekilde olması gereklidir. Peki, cinsel tatminin "maliyeti" nedir?

> Maliyetlerin bir tanesi arama maliyetidir. Tek başına yapılan mastürbasyon için bu sıfırdır, bu yüzden davranışların en ucuza mal olanı budur. Burada şu ayrım önemlidir: Heteroseksüel ya da homoseksüel, ortaklaşa mastürbasyon bir tür vajina dışı cinsel ilişki türüdür, bunun arama maliyeti sıfır değildir.

Posner birtakım hayali örneklerle devam ediyor: Örneğin, bir adamın ortalama çekicilikte bir kadınla seks yapmak için yirmi, onun yerine geçecek bir erkekle seks yapmak için iki değerini biçtiği durum. Bu dili kullanmaya başladığınız anda kadını (ve erkeği) bir seks nesnesine ve seks metasına dönüştürmüşsünüz demektir. İnsan dünyasını nesneler dünyası olarak yeniden tanımlamış; kutsalı, korunanları ve yasakları yok etmiş; cinsel ilişkiyi uzaylı yaratıklar arasında bir ilişki olarak tanımlamışsınız demektir. Shakespeare'nin ünlü sözüyle: "Gücün, ruhun boşu boşuna utanç içinde ziyan edilmesi" demektir. Posner'in kullandığı dil, cinsel arzuda *istenen şeye* karşı geçirgen değildir, onu ifade edemez. Öteki kişiyi bir haz aracına, bir başkası (hatta bir hayvan, şişme kadın veya ıslak mendil) tarafından da verilebilecek olan hazzı sağlayan bir araca dönüştürür.

Burada, "Eğer insanlar bu şekilde mutlu olabiliyorlarsa, neden olmasın?" diye sorabilirsiniz. Bireyselleştirici yönelmişliği; umutsuz özlemleriyle, öfke ve kıskançlıklarıyla, ömür boyu süren taahhütleri ve üzüntüleriyle eski cinsel arzu biçimlerinde ısrar etmek kimin işine yarıyor ki?

Antik dünyada bu tür sorular çok tartışılır ve bunlara cevap aranırdı, modern felsefeciler ise bu tür sorulardan kaçınmaya çalışıyorlar. Modern felsefeciler, bireyin uzun erimli mutluluğunu ve kendini gerçekleştirmesini ele almak yerine; cinsel ahlak problemini haklar problemine –şu ya da bu cinsel eyleme girişmeye veya onu yasaklamaya hakkımız olup olmadığı türünden sorulara– indirgeme eğilimindedirler. Bu tür sorular sorulunca liberal sonuçların ortaya çıkması gayet doğaldır; ancak bu sorular cinsel ahlakın zeminini araştırmaya elverişli değildir. Bu zemin, haklar ve görevler hesabıyla değil erdemler teorisi ile araştırılabilir. Cinsel ahlakta önemli olan, erdemli olanlar ile habis eğilimleri ayırabilmektir. Bu ayrıma, geçen bölümde ahlaki düşüncemizin temeli konusunu incelerken değinmiştim. Orada, erdemin ahlaki bir düzenin temellerinin yaratılması konusundaki önemini vurgulamıştım. Ancak erdem arayışı için nesnel temeller sağlayacaksak, bir kişinin mutluluk ve kendini gerçekleştirmesine erdemlerin nasıl yardımcı olduğunu ve ahlak bozukluğunun buna nasıl engel olduğunu göstermek gerekir. Bu da basitçe, Aristoteles'in *Ethica Nicomachea** kitabında gerçekleştirmeye çalıştığı şeydir. Bu kitapta Aristoteles, ahlakın derin sorularının, yetişkin bir kişinin davranışlarını denetleyen kurallarla değil, o kişinin eğitimiyle ilgili olduğunu savunmuştur. Erdem, sosyal diyaloğun kurallarının değil, kişinin karakterinin bir parçasıdır ve uzun süren bir ahlaki eğitim süreci sonucunda ortaya çıkabilir. Erdemli kişi, gelişmesine (sadece bir hayvan değil rasyonel bir varlık, bir kişi olarak gelişmesine) uygun olacak davranış biçimlerini seçmeye eğilimli olacaktır. Bir çocuğu eğitirken onun alışkanlıklarını eğitirim, ona erdemli alışkanlıklar aşılamanın sadece benim değil onun da çıkarına olacağı açıktır.

---

* Aristoteles, *Nikomakhos'a Etik*, Çev. Saffet Babür, Bilgesu Yay., Ankara, 2009. (ç.n.)

Erdemleri sadece bir *araç* olarak da düşünmemeliyiz. Erdemli kişi, *amaçları* doğru seçendir. Erdem, bazı şeyleri kendileri için, karşıt yöndeki arzularımıza rağmen isteme ve dolayısıyla seçme eğilimidir. Örneğin; cesaret, tehlike karşısında, şerefli olan davranış biçimini seçme eğilimidir. Doğru bildiğimiz uğruna *korkuyu yenebilme* eğilimidir. Her rasyonel varlığın cesaret sahibi olmasında fayda vardır yoksa *gerçekten* istedikleri şeyleri ancak şans sayesinde ve ciddi bir zorluk bulunmaması durumunda elde edebilirler. Cinsel erdemler de benzerdir: Cinselliğin cazibesine rağmen doğru bilinen davranış biçimini takip edebilme eğilimidir. Eğitim, kendini değişik durumlarda, öznenin sağduyusuna göre, bazen iffetlilik, bazen sadakat, bazen de tutkulu arzu biçimlerde gösterebilen özel bir tür ölçülülük eğiliminin geliştirilmesini hedeflemelidir. Erdemli kişi; arzusuna cevap verebilecek, bağlanabileceği, sevebileceği birisi için arzu duyar. Böyle bir arzunun tamamına erdirilmesinde ne suçluluk ne de utanç olabilir, erotik dürtü gelişebilmek için ihtiyaç duyduğu ortamı evlilikte bulur.

Geleneksel cinsel eğitimin en önemli öğesi, antropolojik dilde "kirlenme ve tabu ahlakı" olarak özetlenmiştir. Çocuklara bedenlerini kutsal olarak görmeleri, bedenlerinin yanlış kullanım ya da yanlış algı sonucunda kirlenebileceği öğretilirdi. Kirlenme duygusu sadece kötü bir cinsel ilişkinin yan etkisi olmakla kalmaz; tecavüze uğrayan bir kurbanın deneyimlediğine benzer şekilde, içe işleyen bir kendinden, bedeninden, bulunduğu durumdan iğrenme duygusunu da içerebilir. Bu duygular bedene bürünmüşlük durumumuzun beraberinde getirdiği gerilimlerin bir ifadesidir. Her an bir bedenden ibaret olma konumuna düşürülebiliriz, benliğimiz bedenimizin dışına itilebilir ve bedenimiz yağmalanabilir. Cinsel ahlakın kökenindeki temel fikir, benim bedene bürünmüş olarak bedenimin içinde olduğum ve "makinedeki hayalet"* olmadığımdır. Bedenim benimle özdeştir: Özne ve nesne aslında aynı şeyin iki farklı görünüşüdür, cinsel saflık da bunun garantisidir. Cinsel erdemler, cinsel arzuyu yasaklamaz: Sadece cinsel ar-

* Makinedeki hayalet, Gilbert Ryle'ın kartezyen felsefenin savunduğu zihin-beden ayrımına bir eleştiri olarak ortaya koyduğu argümanında kullandığı metafordur. (y.h.n.)

zunun kişilerarası bir duygu olarak durumunu emniyete alır. "Kirli huylar" edinen bir çocuk cinselliğini kendisinden ayırır, nesneler dünyasında tuhaf ve yabancı bir şey olarak görmeye başlar. Bedeninin büyülenmiş kölesi olmaya başlaması aynı zamanda arzusunun çürümeye başlamasıdır, erotik enerjinin dağılması ve ötekiyle birliğin kaybedilmesidir. Cinsel erdem, arzulayan *özneye* destek olur; onu alt eden eyleminde bir ben olarak bulunmasını sağlar.

Geleneksel cinsel eğitim, fantezilere karşı da sürekli bir savaşımı içerirdi. Cinsel eylemlerimizde fanteziler önemli bir yer tutar. En tutkulu ve sadık âşık bile sevişme sırasında bulunduğu durumun dışında cinsel durumlar hayal edebilir. Yine de Freud'un fantezi ile gerçeklik karşıtlığında ve birincinin bir bakıma ikinci için yıkıcı etkisi olduğu inancında doğru bir yan var. Fanteziler gerçek, sert ve nesnel dünyanın yerine esnek bir hayali koyarlar, amaçları da budur zaten. Gerçek dünyadaki hayat zor ve utanç vericidir. En çok da özneler olarak bizim istemlerimize muhalefet eden diğer insanlarla çatışmalarımız sırasında, hayat bize zor ve utanç verici gözükür. Bizi samimi ilişkilerden ayıran kabuğu kırmak için büyük bir güç gerekir, cinsel arzunun gücü de bu türdendir. Bizi üzmeyen ve utandırmayan, ani isteklerimize karşı direniş göstermeyen ikamelerle idare etmek çekici olabilir. Bu alışkanlık, gerçekdışı nesnelerin gerçek duyguların odak noktası olduğu uysal bir arzu dünyası yaratılmasıyla başlar. Duygular da kişisel ilişkiler kurmaya katkı sağlamakta beceriksiz hale getirilirler. Fantezi, gerçekliğe katılım yolunu tıkar; gerçeklik istem için erişilmez olur. Bu süreçte sadece istemimin bir aracı olan, fantezi olarak yarattığım öteki, sadece cinsel kullanım için varolan diğer ikameler arasında benim için bir nesne haline gelir. Fantezilerde yaşayan birinin cinsel dünyası; öznelerin olmadığı, ötekilerin sadece nesneler olduğu bir dünyadır. Fantezileri bir kişiye başka birisine boyun eğdirtecek kadar hâkim olduğu zaman ortaya çıkan sonuç daima çirkin, tecavüze benzer bir şey olur. Richard Posner'den alıntı yaptığım sözler de insanlar arzu nesnelerini özneler olarak görmekten vazgeçtikleri zaman ortaya çıkmasını beklediğimiz durum kadar çirkindirler.

Bu durumda, cinsel ahlak bizleri bu bölümlerin etrafında dolandığı büyük muammaya döndürüyor: Özne ve etrafındaki mekân ve zaman muamması. Söylenmesi mümkün olmayan şeyin yolunda biraz daha ilerleyebilir miyiz? Eğer ilerleyebilirsek bunu hangi araçla yapacağız?

11
Müzik

Rilke sorumuzun cevabına bir göndermede bulunuyor: *Die Sonette an Orpheus*'de* "Varlık bizler için hâlâ büyülü" diyor ve devam ediyor:

> "Sözler hâlâ yumuşakça söylenemeyene yöneliyor
> Ve pırpır eden taşlardan çıkan her dem taze müzik,
> Beyhude mekânda Tanrısal evini kuruyor."

Nedir müzik tam olarak? Neden onu kendine ait (beyhude de olsa) bir mekâna yerleştirmekteyiz?

Müzik sestir ve sesin içinde yaşar. Ancak sesin ne olduğunu bilmediğimiz sürece bu tanım pek işe yaramıyor. Dünyayı nesnelere (masalar, sandalyeler, hayvanlar, insanlar) ve onların özelliklerine bölmek cazip bir ayrımdır. Ancak sesler iki kategoriye de uygun değiller. Sesler onu çıkaran nesnelerin bir özelliği değildirler: Renkler, biçimler, boyutlar gibi cismin içinde bulunmazlar. Öte yandan kendileri nesne de değildirler. Nesnelerin aksine, sesler *oluşurlar;* fiziksel mekânı nesnelerin doldurduğu biçimde doldurmazlar, sınırları da yoktur. Bir ses ancak bir şekilde üretildiğinde var olur, üretim kesildiğinde ses de yok olur. Kısacası, sesler, nesneler veya özellikleri değil, başka olgulara neden sonuç ilişkisi içinde bağlı olan *olgulardır.*

---

* Rainer Maria Rilke, *Orpheus'a Soneler*, Çev. Yüksel Özoğuz, Yapı Kredi Yay., 2009. (ç.n.)

Nitekim sesler, biraz acayip olgulardır. Çoğu durumda, olguları nesnelerdeki değişimleri gözleyerek saptarız. Araba kazası bir olgudur, sonucunda arabanın özellikleri ve konumu değişir. Bir olguyu değişimi kavrama yoluyla anlarız. Ancak ses var olduğunda hiçbir şey değişmez. Ses oluşur ama hiçbir şeyin özelliği değildir. Kendine yeterlidir, nedenini bilmesek de onu dinleyebiliriz. Nesnelerin katılmadığı bir olgudur -bir "saf olgudur" diyebiliriz belki-. Bu, birçok nedenden ötürü, çok acayip bir şeydir. Varsayalım ki bir araba kazasını gördünüz, size kaç tane olgu gördüğünüzü sorarsam, büyük ihtimalle ne cevap vereceğinizi şaşırırsınız. Sadece arabadaki değişimi kastediyorsanız kaza bir olgudur ancak yaşanan bu durumda olan birçok şey daha vardır: Arabadaki insanlara, yola, tekerleklere, ışıklara vs... Bu sonsuza kadar gidebilir. Nesnelerdeki değişimler kadar olgu vardır ama onları saymamız gerekmez. Olgular nesnelerdeki değişimlerin üstünde var olmazlar, olguları tanımlamak için oluştukları nesneleri belirlemek yeterlidir.

Oysa sesler için "Kaç tane?" sorusunu cevaplamanın kolay bir yolu yoktur. Bir keman ve flüt aynı notaları aynı anda çaldığında bir ses mi, iki ses mi olduğunu söylemek zordur: Bireysel ses kavramı burada belirsizdir, özdeşlik ve fark sorularını cevaplamadan geçiştirmek de mümkündür ama sesler nesneldir: Gerçekliğin bir parçasıdır, onu algılayan dinleyicilerin işitsel deneyimleri ile karıştırılmaması gerekir. Bir odaya girdiğinizi ve Beethoven'ın *Beşinci Senfoni*'sinin ilk notalarını duyduğunuzu düşünün. Odayı terk ettiniz ve bir dakika sonra geri geldiğinizde gelişme bölümünün başını duydunuz. Odada olmadığınız süre boyunca senfoninin çalınmaya devam etmiş olduğu -yapıtın seslerinin duyulmadan da olsa ilk duyduğunuz yerde siz yokken devam ettiği- sonucuna varmak doğal değil midir? Diğer bir deyişle, gerçekte varolan sesi, onu sadece bende olan duyma deneyiminden ayırmak doğal değil midir?

Her ses müzik değildir. Gürültüler, bağırmalar, kelimeler, mırıldanmalar, müzik içinde var olabilir ama kendileri müzik değildir. Ses ne zaman müzik olur? Sesin sıklığı (frekansı) belirleyici etmen değildir; siren sesi, çan sesi, tonik diller gibi belli bir sıklığa sahip olan ama müzik olmayan sesler ve Afrika davul müziği gibi sıklığı olmayıp müzik olan sesler vardır. Ritim de belirleyici etmen değildir, eğer ritimle bir ses düzeninin düzenli tekrarını anlıyorsak, bu bütün normal makinelerin çıkardığı seslerde olan bir durumdur. Armoni de belirleyici değildir: Bilgisayarımı her açtığımda üstüne bir yedili ve dokuzlu eklenmiş bir la minör akoru sesi çıkarıyor ama bu sesin müziğe benzerliği, odamdaki herhangi bir şeyden daha fazla değil.

Bu soruya en iyi yaklaşım biçimi soruyu değiştirmek olabilir: Bir sesi müzik olarak *duymak* ne demektir? Müzik olarak duyulan sesler birbirleri ile özel bir ilişki içinde duyulurlar. Müzikal bir kuvvet alanı içinde ortaya çıkarlar. Bu dönüşüm, bir sesi bir kelime olarak duyduğumuz zamanki dönüşüme benzerdir. "Bang" kelimesi bir sesten ibarettir. Bu ses bir kelime özelliği taşımadan, doğada bulunabilir. Onu kelime yapan şey, sesi toplayıp özel bir işlevi olan bir kelimeye dönüştüren dilin grameridir: Bu kelime İngilizce'de bir ses ya da bir hareket* belirtir, Almanca'da ise bir duygu. Sesi bir kelime olarak duyduğumda, gramerin sağladığı kuvvet alanını duyarım. Benzer biçimde, bir sesi müzik olarak duymak sadece duymak değil, aynı zamanda onu diğer gerçek ve olası seslerle belli bir şekilde ilişkisi olacak biçimde *düzenlemektir.* Bu şekilde düzenlenmiş bir ses bir "ses tonu" haline gelir.

Müzikte tonları duyduğumuzda fark ettiğimiz müziksel göndermeler, kelimelerin dilde yaptığı dilbilgisel (gramatik) göndermelere benzerdir. Elbette, büyük ihtimalle müzikal düzenleme teorisini bilmeyiz ve de bir Haydn yaylılar dörtlüsünde notalar bu kadar doğru ve mantıklı olduklarında ne olup bittiğini kelimelerle ifade edemeyiz. Müzikal gramerin (eğer gramer tabiri caizse) *örtülü* bilgisine sahibizdir, tıpkı anadilimizin gramerinin örtülü bilgisine sahip olduğumuz gibi. Müzikal düzenlemenin ilkelerinin bilgisini teorilerle değil tanıma eylemiyle ediniriz.

Müzikte tonlar kendilerine özgü bir alanda, uzamda duyulurlar. Belki dünyadaki diğer sesler tarafından boğulabilirler ama onlarla birbirlerine karışmazlar. Müzik, nesnelerin dünyasından yükselip bağımsızlaşır ve kendi dünyasında var olur. Müzik tonlarını nedensel bir düzene ait olarak da duymayız.

* "Bang" İngilizce'de Türkçe'deki "bom" gibi patlama sesine karşılık gelir. (y.h.n.)

Duyduğumuz do notası birisinin klarnete hava üflemesinin sonucuymuş gibi duyulmaz, daha çok ondan önce gelen si notasına cevap ve devamında gelecek olan mi notasına bir çağrı olarak duyulur. Brahms *Si Bemol Piyano Konçertosu*'nun son bölümünün ikinci temasını orkestradan piyanoya sonra tekrar orkestraya geçirdiğinde, kutuplar arasında elektrik akışı gibi sıçrayan tek bir melodi duyarız. Bir müzikal temada bir tondan diğer tonu yaratan bir tür sanal nedensellik vardır, bu tonların kendileri farklı fiziksel aletlerle üretilseler bile. Müzik başladığında fiziksel dünya geri plana çekilir.

Bir melodik cümlenin sanal nedenselliği sanal bir mekânda faaliyet gösterir. Bizim için frekans spektrumunun yüksek ve alçak değerleri vardır. Müzik tek boyutlu bir uzamda yükselir veya alçalır ve bizler müziğin sürati ve geçtiği mesafe hakkında açık bir izlenime sahibizdir. Perdeler mevkileri tanımlar, aralıklar ise mesafeleri ölçer. Akorlar dolu, boş, yayılmış, çok dolu ya da yoğun olabilirler: Bu uzamsal tanımlar, akorları müzik olarak duyduğumuz zaman ne duyduğumuzu tanımlarlar.

Ancak bu meseleyi felsefi bir gözle incelediğimizde, bu uzamsal tanımların son derece gizemli olduğunu görürsünüz. Bir melodinin klarnetin do notasını çalmasıyla başladığını ve trompetin mi notasını çalmasıyla yükseldiğini düşünün. Müzikal düzlemde bir hareket duyarsınız ve bunun yanı sıra ses tınısında da bir değişiklik olmuştur. Peki hareket eden tam olarak nedir? Elbette ki do notası mi notasına doğru hareket etmemiştir, do daima ve esas olarak olduğu perdedir. Klarnet de trompete doğru hareket etmemiştir. Dahası, müzikal deneyimde klarnet bir nedenin değil bir ses renginin tanımıdır. Meseleyi daha çok inceledikçe, müzikal düzlemde *hareket eden* herhangi bir şey bulmak daha da zor hale gelir. Bir perdeler dizisi olan melodi hareket etmez, perdeler de duyuldukları yerde daima sabittirler. Rilke'nin sonesinde bahsettiği "beyhude mekân" gerçekten de beyhudedir, aslında mekân bile değil, bir mekân görünüşüdür.

Yine de, onu bir mekân olarak duyarız ve hareket deneyimi olmadığını varsayamayız. Dahası, başka yönlerden tek boyutlu fiziksel mekânı andıran bir mekândır bu. Bu mekândaki olgular arasında işleyen bir sanal nedensellikten bahsetmiştik: Bir melodinin tonları kendinden önce gelen tonlara cevap niteliğindedir ve kendinden sonra gelecek tonların da nedenidir. Bu mekân aynı zamanda yerçekimsel ve manyetik kuvvetlerin tonları değişik yönlere değişik güçlerle bükerek kendilerini gösterdikleri bir mekândır. Müzik dominant yediliden toniğe doğru, yedilinin öncülüğünde alçalırken, bastaki dominant yediliyi tonikin üçlüsüne doğru çeker. *Bahar Ayini*'nin başlangıcında fagot la minorü bir bar boyunca çaldıktan sonra, korno do diyezle girer ve melodinin bu do diyezi kendinden, müzikal çizginin dışına doğru dışarı ittiğini duyarsınız. Fagot dışarıdan girmeye çalışan yabancılara karşı bir kuvvet alanı oluşturmuştur. Tonlar yükseldikçe hafifleşip daha kolay taşınır hale gelirler, bas tonlar ise ağırdırlar ve armoninin yakınında doldurulmuşlarsa zor taşınır hale gelirler. Örneğin, Çaykovski'nin *Altıncı Senfoni*'sinin sonunda, viyolonseller, fagotlar ve baslar taşıdıkları yükten dolayı çökerler, müzik dağılır ve biter. Melodiler batarlar ve çıkarlar, engelleri zorlarlar, dinlenme ve sessizlik bölgelerine girerler. Müzik hareket ve işarettir. Biz onu dinledikçe, karşısında gayret sarf ettiğimiz kuvvet ve alanların müzikte de olmadığının farkına varmadan, onunla beraber hareket ederiz.

Bu "beyhude mekân" nasıl düzenlenmiştir? Müzikal düzenlemenin sıklık haricindeki üç önemli unsurunun ritim, melodi ve armoni olduğu genel olarak kabul edilir. Ama bunlar nasıl tanımlanır? Bir ritim duyduğunuzda tam olarak ne duyarsınız? Sesler düzenli bir sıra ile ortaya çıktıklarında, onları ritmik bir biçimde organize edilmiş olarak duyabilirsiniz ama duymayabilirsiniz de (buna örnek tren vagonunda tekerleklerin rayda çıkardığı seslerdir).

Düzensiz olarak bağlanmış bazı sesler ise son derece ritmik olabilirler, *Bahar Ayini*'nin son bölümünde olduğu gibi. Bir ritim duyduğumuzda sesleri mezürlerde gruplandırırız ve her mezürdekileri de gerilim ve aksanları bir dalganın yüzeyinde gidecek biçimde vurgulara gruplandırırız. Seslerde dalga yoktur, bir sürü çelişik yollarla gruplanabilirler. Ama sesleri onları birbirine bağlayan bir kuvvet ile algımıza dolduran ve durmadan dalgalanan bir kuvvete neden olan duyma biçimimiz de oradadır.

Peki ya melodi? Bu olguyu da tanıması kolay ancak tanımlarken tam üstüne basmak çok zor. Bir melodi duyduğumuzda, kesin bir zaman ânında bir şeyin başladığını duyarız. Ama nedir bu başlayan? Ve tam olarak nerededir? Brahms'ın *Birinci Senfoni*'sinin son bölümünün ana temasında olduğu gibi, *upbeat*'in açtığı melodi, ya *upbeat*'te ya da yol açtığı *downbeat*'te başlamış gibi duyulabilir. Pek çok kişi bunu ikisi arasında bir yerde, havada bir yerde başlamış gibi duyar. Başladıktan sonra melodi müzikal uzamda ilerler ama mutlaka bir sona doğru ilerlemesi zorunlu değildir (Rahmaninov'un *İkinci Piyano Konçertosu*'nu açan melodiyi düşünün). Melodi devam ederken seslerin var olması da gerekli değildir. Beethoven'in *Eroica* senfonisinin son bölümünün ana teması çoğunlukla sessizliklerden oluşur ama melodi bu sessizliklerin arasında orkestradaki sesin varlığına ya da yokluğuna bakmadan ve kesilmeden devam eder. Sanki sesler başka bir yerde, kendi beyhude mekânında varolan melodiye işaret eder gibidir. İşte bu, seslerin fiziksel dünyası ile müziğin "yönelimsel" dünyasının farkını gösteren çarpıcı bir örnektir.

Melodinin ne olduğunu tanımlamakta karşılaştığımız zorluklar armoninin tanımı durumunda iki katına çıkar. Hem melodiler hem de akorlar birer birliktirler, belirgin parçaları olan ama yine de *tek* bir şey olarak duyulan olan müzikal varlıklardır. Ancak ikisi de farklı türden birliklerdir: Melodi zaman içinde bir birliktir, armoni ise aynı anda çalan tonların birliğidir. Her ses dizisi melodi olmadığı gibi, aynı anda çalan tonların hepsi de akor değildir. Müzikte hem diyakronik, hem de senkronik birliklerin pek çok imkânı vardır. Böylece, diyakronik birlikler içinde ve melodiler arasında cümle, motif ve temaları fark ederiz. Bir cümle tamamlanmamış olarak duyulurken; bir motif yaşayan, hareket eden bir yapı taşı, bir "pırpır eden taş" olarak duyulur. Temalar melodik ya da sadece arkitektonik olabilirler, tıpkı Berg'in *Keman Konçertosu*'nu açan ve beşlilerden oluşan tema gibi. Bu temaya melodi (bir ezgi) demek zordur.

Aynı biçimde, akorların da pek çok çeşidi vardır. Uyumlu (konsonant) ya da uyumsuz (disonant), açık ya da kapalı, doymuş ya da doymamış gibi. Bazıları çözülmek isterler, diğerleri kendi başlarına tamalanmış durumdadırlar. Bir akoru akor yapan şey, sadece onu oluşturan tonlar ve aralıklar değil, aynı zamanda içinde gerçekleştiği müzikal bağlamdır. Mozart müziğinde "yarım eksilmiş akor" diye tanımlayabileceğimiz akor, Wagner müziğinde ünlü Tristan akoru olarak ortaya çıkar. Aradaki fark onu oluşturan seslerin sıklığında değil, onu içeren müzikal sentakstadır. Tonlar akustik açıdan tek bir armoninin parçası olsalar bile bir akor oluşturmadan, bir arada ses verebilirler. Klasik kontrpuanda akorların eşzamanlılığını nadiren duyarız, her ses, tabir caizse, akorların içinden durmadan geçer. Bir akorun birliği *sui generis** gibi gözükmektedir: Tonlarda duyduğumuz ama onların birliğine indirgenemeyen bir şeydir.

Melodi, motif ve cümlelerin en önemli özelliği bir ya da daha fazla sınırlarının olmasıdır: Başlangıç ve son oluşturan ve birbirinin içine geçebilen, az ya da çok dışarıdan ihlallere direnebilen, müzikal devinimi kapanışa götürmekte az ya da çok etkili olabilen durumlardır bunlar. Cümleler her iki tarafta da açık olabilirler, tıpkı Mozart'ın *Kırkıncı Senfoni*'sini açan cümle gibi (Burada ilginç bir soru: Bir melodi ne zaman kalkışa geçer? Ne zaman *upbeat* biter ve *downbeat* başlar?). Ya da başlangıçta kapalı olabilirler (yani, bir önceki cümlenin devamı gibi duyulmayabilirler); Beethoven'in *Beşinci Senfoni*'sinin açılış motifi gibi. Veya sonda kapalı olabilirler; Ravel'in *Sol El İçin Piyano Konçertosu*'nun son bölümünde olduğu gibi. Müzikologlar, bu kapanış olgusunu klasik Batı müziğinin, müzikal yapısının kökü olarak belirlemişlerdir. Bunu başka şekilde ifade etmeye çalışmaları, belki müziğin bağlamından çok farklı bağlamların metaforları dışarıda tutulursa, becerilememekte ve başarısız kalmaktadır.

Müzikte duyduğumuz şeyin ne olduğunu *tanımlamak* bir hayli zor olsa da, müziği duyduğumuz zaman, kendisi doğrudan, anlaşılır ve oldukça çekicidir. Müziğin beyhude mekânında dünyevi sınırlardan kurtulmuş, içinde serbestçe dolaştığımız yaşayan tapınakların içinde kurulmuş o müzikal birlikleri – melodi ve armoninin pır pır eden taşlarını– duyarız. Müzikal mekândaki bu birimler –melodiler ve armoniler– fiziksel mekândaki bireylerden farklıdırlar. Bir kere, aynı anda iki farklı

* (Lat.) Kendine özgü. (ç.n.)

yerde bulunabilirler; aynı melodinin bir kanonda ses vermesi gibi. Melodiler içsel yapıları devinimden oluşmasına rağmen içinde hiçbir şeyin devinmediği olgulardır. Armoniler de içsel yapıları diğer armonilerin toplandığı ve kaynaştığı kuvvet ve gerilimlerden oluşan olgulardır.

Böyle bakıldığı zaman müzik, sadece hoş seslerden ibaret değildir. Müzikal algının amaçsal nesnesidir: Sesleri müzik olarak *duyduğumuz* zaman, duyduğumuz şeydir. Müzikal algı, tonların yaratıcı biçimde cümlelere, mezürlere ve akorlara gruplanmasını kapsar: Bu gruplama da duyduklarımızı dinleyip inceledikçe düzeltmeye tabidir. Dolayısıyla müziği doğru ya da yanlış anlamak mümkündür: Anlamak, seslere anlam verebilen bir düzen duyabilmektir. Birisinin duymadığı ya da ilgilenmediği özelliklere dikkatini çekerek, onun için müziğin yerli yerine oturmasını sağlayabilirim ve bu sayede daha önce duyulamaz olan müzikal düzen duyulabilir hale gelir. Bu düzen sesler dünyasının bir parçası değildir, onu sadece rasyonel varlıklar algılayabilirler çünkü bu düzenin kökeni kendinin farkında olan zihindedir. Müziği uygun bir anlayışla dinlediğim zaman, bir anlamda kendimi onun *içine* yerleştirir, benden kaynaklanan hayatı ona aşılarım. Aynı zamanda, müzik sayesinde insani hapishanesinin dışına çıkabilen hayat, başka bir karakter kazanır: Kendinin beyhude mekânında cisimler ayağına dolaşmadığı için serbestçe hareket eder. Öyleyse, müzik bize, öznenin nesneler dünyasından kurtulmuş durumda, kendi istediği biçimde devinen bir suretini sağlar. Transendental özneyi tanımlamaz ama onu *gösterir*: Eğer görülebilir *olsaydı*, neye benzeyeceğini gösterir.

Müzikal uzam, fiziksel uzamla kıyaslanamaz, benzer biçimde müzikal zaman da fiziksel zaman ile kıyaslanamaz. Aynı melodi yavaş veya hızlı çalınabilir; müzikteki saf olgular bir temanın tersine çalındığı durumda olduğu gibi tersine çevrilebilir. Bir parça tersine, başlama noktasına doğru çalınabilir (Berg'in *Lulu*'sundaki film müziğinde olduğu gibi). Bir motif bazen melodi, bazen akor olarak çalınabilir (Wagner'in *Ring*'indeki lanet okuma motifi gibi). Müzik zamanın hapishanesinden kaçamazsa da, ortaya çıkardığı zaman düzeni ile fiziksel zamanın düzeni arasında açık bir ilişki bulunmaz. Mahler'in

Onuncu Senfoni'sinin muhteşem vurmalı darbeleri arasında geniş bir zaman okyanusu yatar oysa fiziksel sesleri ayıran sadece birkaç saniyedir. Haydn'ın *Yaratılış*'ının açılış mezürlerinde zaman yavaş, ağır akar; Mozart'ın *Jüpiter Senfonisi*'nin son bölümünde ise zaman, hızlı, gergin ve büyük bir atiklikle akmaktadır, Webern'in *op. 24 Konzert*'inde ise zaman parçalanmış ve yıldızlar gibi saçılmıştır. Bu ve buna benzer sayısız durumda, müziği fiziksel zamanda ilerleyen, etrafındaki fiziksel dünyadaki olgulara öncesi ve sonrası ilişkisi ile bağlı bir olgular dizisi gibi görmek mümkün olmamaktadır. Her müzik eseri, ileri ve geriye serbestçe kaydırılabilen "pır pır eden taşlardan" kurulmuş olan kendi zamanında gerçekleşir. İşte bu yüzden müzikte varolan parçaların, içinde yer aldıkları zamanı kapladıkları ve diğer parçaları dışarıda tuttuklarını deneyimleriz. Bir klasik senfoninin sonuncu tonik akorunun bütün diğer hasım akorları bulunduğu yerin dışına sürmesi örneğinde olduğu gibi. Bu bakımlardan müzikal zaman, mekâna benzer: Zamansal düzenin mekânsallaştırılmış bir ifadesidir.

Elbette ki, bütün müzik eserleri bizlere bu tuhaf deneyimleri aynı ölçüde sunmayacaktır. Serbestçe hareket eden özneyi bu beyhude mekâna yerleştirip onun Tanrısal evini kurmak ancak stil ve mimari konusunda harcanacak büyük çabalarla gerçekleşir. Ama müzik başyapıtları, bizleri kendi zaman ve mekânımızdan alıp ideal bir nedensellikle, özgürlüğün nedenselliği ile düzenlenmiş ideal bir zaman ve mekâna taşıyabilir. Müziğin ideal zamanından sonsuzluğun (tabir caizse) uzaklığı sadece küçük bir adımdır. Bazen, Bach'ın bir fügünü, Beethoven'in son yaylı çalgılar dörtlülerinden birini ya da Bruckner'in sonsuz genişlikteki temalarından birini dinlerken şu anda dinlediğim müziğin bana sadece bir an kadar kısa bir süre içinde bilinir kılınmasının mümkün olduğunu düşünürüm: Bütün bu duyduklarımın önümdeki zamana yayılmış olmasının tesadüfi olduğunu, bana başka bir yolla, mesela matematiğin bilinir kılındığı şekilde bilinebilir kılınabileceğini hayal ederim. Müzikal birimler -melodi ya da armoniler- bizim zamanımızda bir ziyaretçidir çünkü onların varlığı çoktan gerçek zamandan kurtulmuştur, müzikal zamanın bahsettiğim dönüşümlerinin hiçbirisi tarafından etkilenip zedelenmez. Bu sayede buradaki bireylerin de zamandan bağımsızlaşmış, olmalarına rağmen hâlâ *birey olarak kaldıkları* hallerini tahayyül edebiliriz. Demek ki, müzik deneyiminde aynı bireyin hem zamanda hem de sonsuzlukta var olabilmesinin ne demek olduğunu bir an için görür gibi oluruz. Ve de zamansızlığın zamanla kesiştiği bu noktadaki rastlaşmamız aynı zamanda dünyevi nesneler dünyasından azat edilmiş, sadece özgürlük kanunlarına tabi olan saf özneyle karşılaşmamızdır.

Bu deneyim tabii ki, sonsuzlukta nasıl var olabileceğimizi anlamamızı sağlamaz. Ancak bunun anlaşılmasının zorluğu, imkânsızlığının nihai kanıtı sayılabilir mi? Başka bir durum düşünelim: Doğanın yapısı gereği, üçboyutlu, sonlu ama sınırsız bir mekân tahayyül edemeyiz ama eşdeğeri olan iki boyutlu mekânı (örneğin bir kürenin yüzeyi) tahayyül etmemiz *mümkündür*. Birisinden somut bir bireyi (bir kişiyi) ebediyette tahayyül etmesini istemek de biraz benzer bir durum olabilir. Şöyle diyebiliriz: İdeal zamanda var olmakta olan bir melodinin aynı zamanda ebediyette var olmasının ne olduğunu biliyoruz. Şimdi, bir de aynı şeyin, *gerçek*, fiziksel zamanda varolan, gerçek somut bir nesne için mümkün olduğunu varsayın. Şuna benzer bir şey diyebiliriz: İkiboyutlu bir mekânın sonlu ama sınırsız olmasının ne demek olduğunu biliyorsunuz. Aynı durumu üçboyutlu mekânda varsayın. Elbette ki, bu durumu *tahayyül* edemeyeceksiniz!

Bu düşüncelerimin kafamızı karıştırmakta olan problemlere (zaman dışının zamanla ve öznenin nesneyle ilişkisi gibi problemler) bir çözüm önerdiğini bir an olsun düşünmedim. Ancak bunlar sayesinde söylenemez olanın yolunda biraz mesafe aldık ve bu düşünceler, yolculuğumuzun sonuna doğru bize yol gösterici (yol gösterici olan felsefe değil müzikti) oldular. Bu noktada felsefeci Wittgenstein'ın tavsiyesine uyarak üzerine konuşulamayan konuları sessizliğe teslim etmeli. Zaman ve nesnelerin âlemine (ki bütün düşüncelerimiz bu âlemden kaynaklanır ve bu âleme yönelir) geri dönmeli.

12
Tarih

Kendinin bilincinde olan varlıklar zaman içinde ve kuşatıldıkları durum olan zamanın farkında olarak var olurlar. Sadece ânın içinde varolan hayvanların aksine geçmişi ve geleceği de sürekli olarak göz önünde bulundururlar. Sadece *kendilerinin* geçmiş ve geleceğini değil, içinde yaşadıkları topluluğun ve insan türünün de geçmiş ve geleceğini düşünürler. Bu durum özellikle de tarihin ışığı altında yaşayan ve günümüzü geçmişle ilişkilendirerek yaşayan modern insanlar için geçerlidir. Tarih, modern bilincin ana dayanaklarından biri haline gelmiştir ve anlamamız gereken olguların en önemlilerinden biridir.

Tarih felsefesi iki farklı anlama gelebilir. Bir tarafta hemen hemen tamamıyla Hegel tarafından yaratılan bir tanım: İnsan tarihinin anlamını kavramak ve kendinin bilincinde olmanın bunun içindeki yerini bulmak için yapılan felsefi inceleme. Öte yanda ise, tarihsel *anlayışın* ne olduğunu ya da ne olması gerektiğini ve diğer anlama biçimleriyle -bilimsel, antropolojik veya kültürel anlayış gibi- ne ilişkisi olabileceğini açıklamaya çalışma çabaları var. İkisi arasındaki farkı *tarih* felsefesi ve *tarih yazımı* felsefesi tabirlerini kullanarak açıklayabiliriz. İkisi de geniş ve tartışmalı alanlardır ama kitabımızı onlara biraz bakmadan bitirmek mantıksız olacak.

Hegel, tarihin aydınlatılıp açıklanmasının felsefenin ana görevlerinden biri olduğunu düşünüyordu. Bunun iki nedeni vardı: Birincisi, bütün insan kurumları ve ortak çabaları *bilinç* biçimleri yani öznenin nesnel dünyada *gerçekleşme* biçimleriydi. İkincisi, Hegel'e göre, bilincin, evrensel akıl sayesinde, daha soyut ve dolaysız biçimlerden somut ve nesnel gerçeklere doğru evrimsel bir gelişme kaydeden bir yapısı vardı. Tarihsel gelişmenin *a priori* yani deneyimden bağımsız olan yasalarına, "tin"in (*Geist*) nesnel biçimine özgü olan diyalektik devinimi gözleyerek ulaşmamız mümkündü. Tarih felsefesi bu yasaları açıklar, daha sonra tarihsel olguları onların ışığında nasıl yorumlamamız gerektiğini gösterir, tesadüfi ve ikincil olanları ayırır, içinde yaşadığımız dönemle olan biten her şeyin özünü taşıyan *Zeitgeist*'ı (zamanın ruhu) ortaya çıkarırdı.

Bu müthiş teori, 19. yüzyıl üzerinde o kadar büyük bir etkide bulundu ki, Marx gibi onu kötüleyenler bile sonunda teorinin takipçilerinde uyandırdığı görüş ve duyguları edindiler. Hegel'in *Lectures on the philosophy of history** kitabı 19. yüzyıl kültürünün en muhteşem belgelerinden biridir ve etkisi modern -ve postmodern- dünyamızda her alanda hissedilmektedir. En son cümlemdeki duraksamamda bile bu etki belirgindir çünkü sadece bir tür Hegel'cilik sayesinde modern dünyanın bitmiş olup, yeni ve zorunlu bir *Zeitgeist*'ın kanatlanmaya hazır biçimde bizi beklemekte olduğu sonucuna varabiliriz. Bu bölümde bu tuhaf sonuca ulaşabilmemize neden olan düşüncelerin bazılarını inceleyeceğim.

Hegel'in tarih felsefesini kabul etmek imkânsızdır: Ancak acayip bir seçicilik, çarpıtma ve abartma sayesinde tarih, insan ruhu tarafından ilerletiliyormuş gibi gözükebilir ve sadece Fichte ve Hegel'in idealist metafiziği uzaktan bile olsa, *Zeitgeist* fikrini bize makul gösterebilir. Yine de bu Hegel'ci resimde bir anlam vardır ama tarih felsefesi açısından değil, tarih yazımı felsefesi açısından. Tarihin araştırılması, hiçbir zaman fiziğin gökkuşağını açıklaması türünden teoriler öne süremez. Tarihte olguların çok karmaşık olmasının yanı sıra, tarihçinin hipotezlerini sınamasını sağlayacak bir deneysel yöntem de bulunmaz. Tarihçi genel olarak ne doğrulanabilen ne de yanlışlanabilen varsayımlarla çalışmak zorundadır. Önereceği bu tür yasalar büyük, belirsiz ve *a priori* olacaktır. Hegel'den sonra doğal bir tarih bilimi önerme çabalarında bulunulmuştur. Bunların

---

* George W. F. Hegel, *Tarih Felsefesi*, Çev. Aziz Yardımlı, İdea Yay., 2010. (y.h.n.)

en iyi bilineni, insan toplumunun hareket yasalarının ruhani değil maddi olduğunu göstermeye çalışarak, Hegel'in tepetakla duran teorisini ayakları üstünde durduran Marx'ın teorisidir. Bu teoriye göre; toplum, insanların maddi istekleri ve onları karşılamak için atılan ekonomik adımlarca ilerletilir. Hiçbir sözde bilim parçası Marx'ınki kadar etkili olamadı. Marksist teorinin her pratik uygulamasının sadece tiranlığa değil aynı zamanda sosyal ve ekonomik çöküşe yol açması, onun *a priori* doğasından kaynaklanmaktadır.

Tarihsel olayların bilimini yapmak olarak bilinen nafile projeden vazgeçip, onları *anlamaya* çalışmaya devam edebiliriz. Birinci bölümde anlattığım üzere, pek çok değişik türden "Neden?" sorusu vardır, bunların sadece bir türü sebep aramaya çalışır. İnsan davranışını incelerken gerekçeler ararız. Durumu açıklayan gerekçeler vardır, kişiyi haklı çıkaran gerekçeler vardır. Bir de durumu başka biçimde algılamamızı sağlayıp, bir davranışı anlaşılır kılan gerekçeler vardır. Bu gerekçeler ne açıklayıcı ne de haklı çıkarmaya yöneliktir, sadece davranışı *yeniden tanımlayıp* bizim karar verme sürecimizin bağlamına sokmaya çalışırlar. Örneğin, bir davranışı bir törenin parçası olarak gördüğümde benim için o davranışın doğası değişir. Törenin amacının ne olduğunu, davranışın tören içinde nasıl bir yer tuttuğunu bilmesem bile, böyledir bu. Hareketleri, tavırları, yüz ifadelerini farklı okumaya başlarım, acayip gözüken tavırlar artık anlamlı gelmeye başlar. Elbiseler de gündelik kıyafet, özel günlerde giyilen elbise, süslü elbise ya da üniforma olmalarına göre değişik biçimde algılanırlar. "Bu elbiseyi neden giyiyor?" sorusuna sahibinin niyetleri hakkında hiçbir şey söylemeye gerek duymadan "O bir üniforma" diye cevap verebilirsiniz. 1960'larda Parisli entelektüeller beğendikleri Maocu kıyafetin bir üniforma olduğunu *keşfettiklerinde* şaşırmışlardı. Yine de, bu elbiseleri üniforma olarak gördüğünüzde onları giyen insanları daha iyi anlayabilirdiniz. Onların davranışını insan hayatı içinde *yerleştirecek* kavramı bulmuş olurdunuz.

Kant'ın ahlak teorisinden etkilenen romantik teolog Friedrich Schleiermacher (1768-1834) insan davranışlarının yorumunun hiçbir zaman doğa bilimlerinde kullanılan yöntemlerle yapılamayacağını ileri sürmüştü. İnsan davranışı, akıldan kaynaklanan özgür öznenin davranışı olarak kabul edilmeli ve diyalog yoluyla anlaşılmalıydı. Schleiermacher, aynı şeyin ancak yazarlarıyla hayali bir diyalog yoluyla yorumlanabileceğini söylediği metinler için de geçerli olduğunu düşünmüştü. Hermeneutik -yorumbilgisi, yorum sanatı- gerekçeler bulmayı ve bir metni, bende de bulunan rasyonel bir etkinliğin ifadesi olarak anlamaya çalışmayı içeriyordu.

Sonraları yine bir Kant'çı felsefeci olan Wilhelm Dilthey (1833-1911) Schleiermacher'in hermeneutik yöntemini bütün insani dünyaya yaydı. İnsan etkinliğini dış nedenlerle dayanarak değil içeriden, kendimizdeki rasyonel izdüşümüne bakarak, Dilthey'ın *Verstehen* diye adlandırdığı yöntemle anlamaya çalışıyorduk. İnsan hayatını ve etkinliğini anlamak için, incelediğimiz kişinin dünyayı algılamak ve etkilemek için kullandığı kavramları bulmalıydık. Örneğin, sizin belirli bir yerde konuşmaktan çekinmenizi, sizin o yeri kutsal bulmanızı kavrayarak anlayabilirdim.

Dilthey'a göre, gündelik yaşamda dünyayı kavramsallaştırma biçimlerimiz, bilimsel açıklamaların izlediği şemayı izlemiyordu. Aksine dünyayı etkinliğe hazır bir yer olarak tanımlıyorlardı. Dünyayı kendi özgürlüğüm açısından algılar, buna uygun olarak tanımlar ve etkinlikte bulunurum. Karşımda duran, *homo sapiens* türünün bir örneği değil, bana bakan ve gülümseyen bir *kişidir.* Onun yanında duran, bükülmüş bir odun parçası değil, bir *sandalyedir;* duvardaki şey renkli kimyasallar değil, bir *resimdir;* resimde gözüken yüz bir *evliyaya* aittir. Bu şekilde devam edebiliriz. Kısacası sadece birbirimizle diyaloğa girmekle kalmayız, nesneler dünyası ile de, onu kendi rasyonel amaçlarımıza uygun hale getirebilmek için nesneleri tanımlamalarımızla kalıba dökme yoluyla sürekli bir diyalog halindeyizdir. Kategorilerimiz dünyayı *açıklamazlar*, daha çok ona *anlam* kazandırırlar. Parisli entelektüelin giysisini bir üniforma olarak gördüğümde, giysinin insani amaç ve isteklerin nesnesi olarak anlamını bulmuş olurum.

Önceki bölümlerde öne sürdüğüm argümanların ikna edici olabilmesi için bu tür bir şeyin doğru olması gerekir. Bir öznenin diğer öznelere karşı duruşu sorgulayıcıdır; bu sorgulayıcı tavır, nesnelerle ilişkimize de bulaşır ve onları olduğu gibi değil bizim insani çıkarlarımızın ışığında göründüğü şekillerde görürüz. Üzerinde deneyler yapabildiğimiz, her yönden gündelik kullanımımıza açık olan nesneler konusundaki amaçsal anlayışımız zamanla yerini bilimsel yöntem temelli, daha değişik ve derin sınıflamalara bırakır. Özneleri incelemeye kalktığımızda ise bu dönüşüm ancak zorlamayla ve anlamaya çalıştığımız şeyi gözden kaçırma riskini alarak yapılabilir. İnsan bilimleri gerçekte insan dünyasının görünümünü *yeniden düzenleme* çabalarıdır. Amaçları insan dünyasının kökenindeki nedenleri araştırmak değil, onunla diyaloğa girmek, insani ilgilerin nesnesi olarak anlamını ortaya çıkarmaktır.

İnsan bilimleri tabiri, Almanca *geisteswissenschaften* kelimesine karşılık gelen elimizdeki en iyi çeviri olmakla beraber, insan tabiri Almanca ruh anlamına gelen *Geist*'ın kötü bir eşdeğeridir, bilim ise bilgi, ustalık, bilgelik anlamlarına gelen *wissenschaft*'ın zayıf bir çevirisidir. Bu semantik noktalarda ısrarcı olmak boşu boşuna kılı kırk yarmak değildir, bu noktalar tam da Dilthey'ın projesinin temeline ulaşmaktadır. Beşeriyatı bilime dönüştürme çabası, sahip olduğu anlayışı kaybetme tehlikesini de beraberinde getirmektedir. İnsani görünümü insan dışı gerçekliğe feda etmekte, birbiriyle ilişkisi olan özneler topluluğunu bir nesneler sistemi olarak sunmaya çalışmaktadır.

Tarih incelemeleri için almamız gereken ipucu tam da buradadır. Tarihsel kategoriler ve sınıflamalar geçmişi *anlamı* bakımından, rasyonel diyaloğun nesnesi olarak düzenlerler. Geçerli bir tarihsel kategori; geçmişteki bir eylemin, geçmiş zamanlardaki düşünme biçiminin ya da geçmiş bir olaylar dizisinin nedenini açıklayarak insan öznelerinin nasıl böyle davrandıklarını ya da düşünebildiklerini görmemizi sağlar. Örneğin Rönesans kavramı, bir dönemdeki istekler, projeler ve sanat eserleri toplamını dünyaya karşı ortak bir duruş sergileyecek biçimde beraber sınıflar. Alberti'nin yazıları, Bramante'nin yapıları, Medici'nin politik projeleri ve müzikteki yeni çokseslilği Rönesans ismi altında sınıflayarak, onlar hakkındaki anlayışımızı da geliştirdiğimiz görülüyor: Onları daha iyi sorgulayabiliyor,

"Neden?" sorusunu sorup anlamlı bir gerekçe bulabiliyoruz. Bunları bu şekilde düşünmeye başladığımızda, eserler arasında bazı paralellikler arayabiliyoruz. Brunelleschi'nin Josquin'le aynı türden bir şey yapmasının veya Cosimo Medici'nin Piero della Francesca ile aynı türden bir şey yapmasının yollarını araştırabiliyoruz. Bu türden bir açıklamanın Hegel tarafından önerilen kategorilerle yapılması mümkün: Bir etkinliğin, bir diğerinin ışığında anlamlı olacağı umuduyla bir dönemin ortak ruhunu arıyoruz. Tıpkı bir törende yapılan bir hareketin, kendi başına anlamsız gözükmesine karşın, onu çevreleyen öteki hareketlerle ilişkilendirildiği zaman anlam kazanması gibi.

Bu yaklaşım elbette ki bazı tehlikeleri de beraberinde getiriyor. Aynı zamanda varolan etkinliklerin Rönesans İtalya'sında varolan aynı ruhu dışavurmak *zorunda oldukları* türünden bir inanca kapılıp yorumbilimi bir tür *a priori* determinizmle karıştırmaya başlayabiliriz. O zaman, Rönesans İtalyası'nda yaşıyor olsaydınız, hümanist, klasikçi, antikçağlara inanan, pagan mitolojisini ve üçlülerle kurulan bir çoksesliliği seven bir kişi olmak *zorunda olduğunuzu* düşünebilirsiniz. Hegel ve onun ardından ortaya çıkan akademik konular, özellikle de sanat tarihi (ki kültürümüzün günümüzde kabul edilen dönemlere ayrımlarını yaratmak konusunda çok çabası olmuştur), bu türden bir determinizmi destekliyordu. Yorumbilimci yaklaşım tam da böyle bir determinizmden kaçınmalıdır. Tarihin yorumbilimi, beraber kavrandığında ortak bir görünümü ya da *Gestalt*'ı olsa da, tarihsel olayları bireysel öznelerin *özgür* etkinliklerinin sonucu olarak anlamaya çalışır. Bu olay ya da olaylar dizisinin olduğu gibi olması *gerektiğini* iddia eder ya da *Gestalt* bağlamında *kaçınılmaz* olduğunu öne sürersek aslında nedensel bir ilişki kurmuş olmayız. Burada kullanmakta olduğumuz kaçınılmazlık kavramı estetik değerlendirmede kullanılanla aynıdır: Bu akorun kaçınılmaz olduğunu ya da Caliban karakterinin oyunda olduğu gibi olmasının kaçınılmaz olduğunu söylediğim zamanki gibi. Buradaki zorunluluk sanatsal form anlayışımızdan çıkan, *hissedilen* zorunluluktur. Bu tür sanatsal zorunluluk, özgürlüğün en yüksek biçimidir ve hiçbir şekilde koşullar tarafından belirlenemez.

Tarihsel determinizmin en zararlı biçimi günümüzü anlamaya çalıştığımız zaman ortaya çıkar. Yeterince uzak zamanlarla ve bize yeterince anlaşılmaz insanlarla ilgilendiğimiz takdirde, tarihsel kategoriler bizi tanımladıkları şeylerle bir diyalog içine sokarak anlayışımızı geliştirebilirler. Sayelerinde geçmiş zamanları ve hareketleri çarpıcı biçimde görebilir, ileri gelen saikleri, paylaşılan anlayışları, temel gerilim noktalarını diğerlerinden ayırabilir ve insan karakterinin birliğinden anladığımız düzeni ortaya çıkarabiliriz. Bir çağ, bizlere yüzyıllar ötesinden seslenen kolektif bir kişilik gibidir. Bu yüzden de ona vereceğimiz tepki bir anlamda tutarlı hale gelir. Rönesans, Ortaçağ, Reform, Karşı Reform ve Aydınlanma çağlarını bu biçimde anlamalıyız. Bu dönemler ve hareketlerin zaman içinde kesin sınırları yoktur, bize gösterdikleri görünümler tıpkı bir resmin görünümünde olduğu gibi, çoğunlukla belirsizdir. Yine de onları bir tiyatro eserindeki karakterleri anladığımız gibi anlayabiliriz: Bu karakterler insani güdülerin bir modelini kendilerinde somutlaştırarak; duygular, inançlar ve isteklerin neden ve nasılını kavramamızı sağlarlar.

Ancak kendi çağımızı veya toplumumuzu bu biçimde görmeye çalıştığımızda onunla olan ilişkimiz bozulur. Tarihsel kategoriler *geçmişe* uygulanmak üzere tasarlanmışlardır: Kaydedilmiş zaman parçalarını onlarla faydalı bir ilişki kurabilelim diye, tutarlı bir anlatı içinde birleştirirler. Fakat bu yaklaşım, sadece onlarla başka türlü hiçbir ilişki kurma, geçmişi doğrudan sorgulama, onu kendi kavram ve amaçlarımıza uygun olarak değiştirme imkânımız olmadığı için, makuldur. Onlara tıpkı bir tiyatro oyunundaki karakterlere baktığımız gibi, aşılmaz bir uzaklıktan bakarız. Aynı yaklaşımı kendi zamanımız için uygulamaya kalktığımızda ise, zamanımızla gerçek bir ilişki kurmaktan uzaklaşmış oluruz. İçinde yaşadığımız dünyayı ortak bir kişilik olarak algıladığımızda, onu kişiliksizleştirmiş oluruz. Bundan da korkunç sonuçlar ortaya çıkabilir, tıpkı Lenin'in Marx'ı okuması ve Goebbels'in Spengler'i okumasından çıktığı gibi. Bu durumda, tarihin estetiği günümüzün bilimi, geleceğin de peygamberliği haline gelir.

Son zamanlarda moda olan postmodernite kavramını da bu durumun ışığı altında anlamamız gerekir. Modernitenin pek çok tanımına bir tane daha eklemeye ya da modern dünyanın tek bir parça olduğu inanışına katkıda bulunmaya hevesli değilim. Ancak insanlar kendilerinden önce gelen kuşaklardan bir şekilde farklı, geçmiş kuşaklarla yeni ve bilinçli bir ilişki kurarak kendilerini modern diye tanımlamaya başladıklarında dünyada bir şey değişti. Ve de bu durum modernitenin tanımı görevini yapabilir: İnsanların modernitenin tanımını yaptıkları dönem modern dönemdir, denilebilir. Çünkü tarihte yaşamak -kendinin bilincinde olan varlıklar için bu kaçınılmazdır- ile bir tarih *fikrine* göre, kendinin onun içindeki yerine göre yaşamak arasında büyük bir fark vardır.

Bu noktayı, başka ve daha provokatif bir şekilde de ifade edebiliriz. Modern insanlar şimdiki zamanda yaşamazlar. Yaşadıkları her anla, geleceğin bakış noktasından görülüyormuş gibi yüz yüze gelerek, şimdinin geçmişliğinde yaşarlar. Modern insanlar bugünü sanki gelecekten gelmişler gibi yaşarlar; yaşadıkları ânı yakalasalar da, bu an geçmişliği ile sislenmiş gibidir ve ellerinden kayıp sınırsız bir hatırlama ve unutma denizine düşer, gider. İnsanlar modern dünyanın bittiğini, artık kültürümüzün postmodern döneme girmekte olduğumuzu öne sürdüklerinde, yeni bir tarihsel kategori yaratarak modernitenin en son biçimine bağlılıklarını ifade eder durumdadırlar. Bu yeni kategori (postmodernite) sayesinde şimdiki ânın geçmişliğini özetleyip onu önceden belirlemekte ve dünyaya sürekli olarak yok olmakta olan bir şey olarak bakmaktadırlar. Aynı zamanda da bu kendini geçmişten bir adım ötede görme âdetinin (ki yaptıkları da budur) eski çekiciliğini kaybettiği hissini de ifade etmektedirler.

Entelektüel tarih açısından bakıldığında, modern dünya, 17. yüzyılın bilimsel devrimi, seküler ve demokratik bir yönetim ideali; endüstriyel devrim, eski saltanat düzeninin çöküşüne ve bireyin asla seçmediği bir yükümlülükle bağlanamayacağı inancına yol açan eğitim ve özgürleşme baskıları sonucunda ortaya çıktı. Bu büyük olaylar bilimin yükselişinin neden veya sonucu olarak birbirine bağlıdırlar ve genel olarak Aydınlanma ismi altında anılırlar. Bu isim Kant tarafından şimdiki ânın geçmişini yazma çabalarının başlangıcında ortaya atılmıştı.

Aydınlanma; bilimsel, kültürel ve politik, insan uğraşının her alanında ilerleme düşüncesini yüceltip geçerli ilke kılmayı amaçlıyordu. Bu fikrin düşüncemizdeki egemen yerini kaybetmeye başladığı ortaya çıkıyor. Eğer neden olduğu zararı düşünecek olursak, böyle olmasına da şaşmamak gerek.

Fransız felsefeci Jean-François Lyotard bu noktayı biraz farklı ifade ediyor. *La condition postmoderne: Rapport sur le savoir** kitabında modernitenin belli meşruiyet anlatıları (aslında geçerli bir nedeni olmadan "üst anlatıları" tabirini kullanıyor) cinsinden tanımlanması gerektiğini öne sürüyor. Bununla bize kurum ve pratiklerin iyi tesis edilmiş ve meşru olduğu, göklerdeki Tanrı olsa da olmasa da, dünyadaki her şeyin yerli yerinde olduğu sonucuna varan öğreti, hikâye teori ve fikirleri kastediyor. Geleneksel toplumlar meşruiyetlerini efsaneler, arketipler ve dinler gibi aşiretleri tarihte bir yere yerleştiren geçmişe yönelik anlatılardan alıyorlardı. Modern çağı tanımlayan anlatılar ise ileriye dönük, özgürleşme ve daha fazla bilgi durumuna işaret eden geleceğe yönelik oluyorlar. Şu anda yaşanılan sıkıntılar ve adaletsizlikler, gelecekteki daha yüksek aşamaya ulaşma yolunda ara aşamalar olarak görüldüğü zaman kabul edilebilir, engel olarak görüldüklerinde ise dayanılmaz hale gelirler. Gelecekteki durumun -gerçekleşecek olan fikir (özgürlük, aydınlanma, sosyalizm, refah, eşitlik vb)- evrensel olduğu için meşrulaştırma değeri vardır. Modernitenin anlatıları kozmopolittir yani dünyanın her yerine aittir, Kant'ın tabiriyle: İnsanlığın tümüne verilmiş sözlerdir.

Postmodern durum bu tür anlatılar inanılabilir olmaktan çıktığında gündeme geliyor. Umutlarımızın, nefesi tükenmiş olarak bağlanmış olduğumuz yanılgılarımızın yıkıntıları arasındayız ve meşruiyeti daima sorgulanan ama asla onaylanamayan dünyaya bakıyoruz. Onaylama kaynaklarımız kurumuş durumda, bizler için umutsuzluk ve ironi arasında seçim yapmaktan başka yapacak bir iş kalmamış.

Böyle bir durum asla doğru olamaz. Eğer doğru *görünüyorsa* bu yazarının şimdiki ânın tarihi tarafından determinist bir duruş

* Jean-François Lyotard, *Postmodern Durum*, Çev. İsmet Birkan, Vadi Yay., 1997. (y.h.n.)

almaya zorlanmasından kaynaklanır. Eğer, tarihsel kategorilerin bizlere olayların nasıl olması *gerektiğini* gösterdiğini ve yaşadığımız çağın ancak postmodern çağ olarak anlaşılabilir olduğunu düşünürsek, postmodern ironi ile postmodern umutsuzluk arasında seçim yapmak durumunda kalabiliriz. Oysa, yapmış olduğumuz tanıya karşı doğru tepki, hem modern hem de postmodern durumu unutup ciddi olarak insan dünyasına bakmaktır. Eğer ilerleme fikrinde bulabileceğimiz bir meşruiyet yoksa, onu kullanıp geleceğe bakan tavırlardan vazgeçelim ve durumumuza şu anda ve geçmişte olduğu haliyle bakalım. Birazcık felsefe bilgisi, bize insanların bir meşrulaştırma kriteri olarak geçmiş yerine geleceğe yönelmelerinin daima hatalı olduğunu gösterebilir. Çünkü gelecek bilinemez ve deneyimlenmemiştir. Birtakım modern düşünürler (örneğin; Burke, Coleridege, Tocqueville, hatta Hegel) bunun farkındaydılar ve yarı eğitimli heveslilere karşı çağdaşlarını uyarmaya çalıştılar. Geleceğe yapılan modernist övgü bir umut değil çaresizlik ifadesi olarak görülmelidir ve postmodern ironi de sadece gerçek felsefenin tamamında bulunan bir unsuru -bizim hem nesne hem özne olduğumuz ve ikisi arasında geçilemez bir engel bulunsa da bu engeli her an geçmemiz gerektiği gerçeğini- hatırlama çabası olarak görülebilir.

Bu son paragraflarda düşünceler tarihindeki bir soru üzerinde durdum. Felsefeyi ciddiye alarak incelerseniz, bir süre sonra felsefe tarihinin düşünceler tarihinden çok farklı bir konu olduğunu fark edersiniz. Felsefe tarihi, *felsefenin* bir dalıdır. Felsefi argümanların tarihsel bağlamından ayırarak ortaya konması ve eleştirilmesi ile uğraşır. Tarihteki düşünceler bugün bizim için önemli olan sorulara (bu kitapta tartışılan sorular gibi) tuttukları ışıktan ötürü önemlidirler. Buna karşın, düşünceler tarihi ise *tarih yazımının* bir dalıdır. Bir düşünce tarihçisi bir fikrin kökeni ve etkisi ile ilgilenip onun doğruluğu ve geçerliliği ile ilgilenmeyebilir. Bir felsefecinin Lyotard'ı cezp eden meşrulaştırma anlatıları ile ilgilenmemesi gerekir çünkü bu anlatılar hiçbir zaman, hatta ilk ortaya atıldıklarında bile, inandırıcı olmamışlardır. İnsanların çoğu açık ve tutarlı düşünmeyi beceremez; bundan ötürü, saçma kavrayışlar ciddi argümanlardan daha fazla tarihsel etki bırakırlar ve önemsiz düşünürler düşünceler tarihinin ön sıralarını doldururlar. Düşünceler tarihi inanılır olanın değil, inanma isteğinin tarihidir.

Düşünceler tarihinden saf felsefenin âlemine doğru çekildiğimiz zaman, modern ve postmodern kavramlarının bizim için faydalı olmadığını görürüz. Felsefi cevaplar ebedi değildir; ama sorular kalıcıdır. Zaten tahmin etmemiz gereken de böyle olmasıdır. İnsani durumumuz, hakkıyla görüldüğünde ne içindedir zamanın, ne de büsbütün dışında. Nietzsche'nin gördüğü üzere, özbilinç sahibi olmak, yaptığımız ve düşündüğümüz her şeyin hem şimdi hem de daima olduğu ebedi geri dönüşü zorunlu kılar. Bunun ne demek olduğunu ortaya koyma çabası, felsefenin kalıcı görevidir; bu görev ise ancak vazgeçildiği zaman son bulabilir. Okuru en sonunda evrenin müziğinin duyulabildiği noktaya getirip, onun Eliot'un deyimiyle "tam bir basitlik durumuna" geldiği yerde bırakır ancak bu durum parantez içinde eklediği üzere "her şeyden daha aza mal olmaz".

İlave Okumalar

Konumuzun genel bir görünümünü *Modern Philosophy* (Londra, 1994) kitabımda vermeye çalıştım. Bu kitapta okuru günümüz metinlerine götüren vse bir düzen vermeye çalışan bir çalışma rehberi de bulunmaktadır. Bir de modern felsefenin tarihine giriş kitabı yazdım: *A Short History of Modern Philosophy** (2. Baskı, Londra, 1995). Bu kitapların zayıf yanları ne olursa olsun, benim için, konuyu gördüğüm biçimde yansıtma gibi bir özellikleri var. Başkalarının fikirleri, benim yaklaşımım ile uyuşmayabilir. Tanınmış felsefeye giriş kitaplarından bazıları:

Bertrand Russell, *The Problems of Philosophy*, Londra, 1912
A. J. Ayer, *The Central Questions of Philosophy*, Londra, 1973
A. C. Grayling (Der.), *Philosophy: a Guide through the Subject*, Oxford, 1995
Simon Blackburn (Der.), *A Dictionary of Philosophy*, Oxford, 1995

Felsefe tarihinin bazı kısımları biraz eskide kalmış da olsa özenli bir açıklaması için okurun Frederick Copleston'un 12 ciltlik *History of Philosophy*** adlı (Londra 1950 ve sonrası) büyük yapıtına başvurması yerinde olur.

---

* Roger Scruton, *Modern Felsefenin Kısa Tarihi*, Çev. Utku Özmakas, Ümit Hüsrev Yolsal; Dipnot Yay., 2015. (y.h.n.)
** Frederick Copleston, *Felsefe Tarihi*, 17 kitap olarak İdea Yayıncılık tarafından yayınlanmıştır. (y.h.n.)

Dizin